KB195921

임상 · 상담 심리전문가가 바라본
정신건강과 현대인의 병

임상·상담 심리전문가가 바라본

정신건강과 현대인의 병

초판인쇄 2020년 3월 28일
초판발행 2020년 4월 06일

지은이 이규태
펴낸이 이재욱
펴낸곳 (주)새로운사람들
디자인 김남호
마케팅관리 김종림

등록일 1994년 10월 27일
등록번호 제2-1825호
주소 서울 도봉구 덕릉로 54가길 25(창동 557-85, 우 01473)
전화 02)2237.3301, 2237.3316 **팩스** 02)2237.3389
이메일 ssbooks@chol.com
홈페이지 http://www.ssbooks.biz

ISBN 978-89-8120-586-7(03510)

임상 · 상담 심리전문가가 바라본

정신건강과 현대인의 병

이규태

새로운사람들

정신건강과 정신위생

정신위생(Mental Hygiene)은 1919년 미국 존스홉킨스대학교 정신과 교수였던 아돌프 마이어(Adolf Meyer, 1866~1950)에 의해 처음 정립된 개념이다. 당시 심리학의 권위자였던 윌리엄 제임스(William James, 1842~1910) 박사가 마이어 교수의 정신위생 운동에 힘을 보태 협력자로 나섬으로써 중요한 학문의 분야로 키웠다.

프로이트 학설의 영향을 받았던 마이어 교수는 "인간을 전인격적으로 이해하지 않으면 정신장애의 상태나 종류, 경중의 증상 파악이 힘들다."고 하였다. 사람은 기본적인 사회생활로서 비즈니스 활동을 하거나 다양한 직업적 활동을 영위하기 위해 자신에게 주어진 현실의 환경에 잘 적응해 나가야 하는데, 그렇지 못하면 적응 불량으로 인해 심리적 갈등을 겪거나, 심리적 갈등의 과정에서 일어나는 스트레스를 감당하지 못할 경우 마음이 불안하고, 긴장과 공포를 느끼는 정신장애의 상태에 빠진다고 하였다.

정신위생을 잘 실현하려면 모든 사회 구성원들의 협조도 필요하고, 저마다 정신위생이 무엇인지 잘 이해해야 하며, 전문적인 영역의 교육과 계몽을 위해서는 정신과 의사나 임상·상담 심리전문가, 사회사업가들이 밀접한 관계를 유지하면서 협조하는 가운데 적극적으로 활동할 수 있어야 한다.

정신건강을 유지하기 위한 생활의 방법으로서 정신위생을 실천하는 두 가지의 방향이 있는데, 적극적인 정신위생과 소극적인 정신위생이 그것이다.

적극적인 정신위생은 정신적으로 건강 상태가 유지되고 있는 건강한 사람들을 대상으로 예방의 차원에서 정신건강을 유지하는 법과 정서 불안을 겪지 않도록 하는 일, 환경에 적응하는 방법 등을 구체적이고 실제적으로 이해가 되도록 교육하거나 계몽함으로써 정신 건강 상태를 계속 유지해 나가는 것이다.

소극적 정신위생은 정신질환이나 장애를 겪는 환자들을 초기에 충분히 치료하는 것을 말한다.

성격장애나 신경증(노이로제), 정신분열증 등을 앓고 있는 사람들을 약물이나 정신치료(심리치료)를 통해 적극적으로 치료하더라도 소극적 정신위생이라고 한다. 말하자면 예방은 적극적 정신위생, 치료는 소극적 정신위생인 셈이다.

적극적이든 소극적이든 정신위생을 제대로 실현하지 못해 만성(慢性)의 정신질환인 정신분열증(schizopherenia)이 되면 치료가 불가능하고, 가족이나 다른 사람들에게 위해(危害)를 가하기 때문에 격리 수용을 하는 경향이 많다. 정신병원에 장기간 입원을 시키든지, 아니면 정신요양원에 보내 일생을 살게 하든지, 기도원이나 사설 요양원에 보내는 경우도 부지기수다.

사설 요양원이 늘어나 사회문제가 되기도 하는데, 이들은 돈을 벌기 위한 수단으로 사람을 다루기 때문에 독방은 예사이고, 손이나 발에 수갑을 채워 짐승처럼 인권을 말살하는 곳도 비일비재하다. 국가나 지방자치단체에서 이런 시설을 규제하고 관리해 주어야 하지만, 우리의 형편은 열악하기 그지없고, 주무부처인 보건복지부도 나 몰라라 방관하고만 있다.

이런 지경에 이른 사람들은 모두 정신위생을 외면했던 결과이며, 정신위생의 중요성을 인식하거나 이해하지 못한 데서 자업자득(自業自得)으로 장애가 발생한 것으로 볼 수 있다.

요즘도 부모나 학교의 교사들이 몸에 이상이 있으면 야단법석을 떨면서 약을 먹이고, 병원에 보내 진찰을 받거나 치료를 받게 하지만, 이게 다가 아니다. 마음이 불안하다, 긴장되고 땀이 난다, 우울하고 괴롭다고 아이가 하소연을 해도 모른 척하면서 꾸중만 하는 것은 정신위생을 모르거나 외면하는 처사라고 하겠다.

무지(無知)와 외면(外面)의 결과는 끔찍한 정신장애 증상으로 만들어 아이를 잃고 만다는 사실이다. 육체건강을 위해 보건위생은 철저히 지키면서도 정신건강을 유지하기 위한 정신위생에 대해 적극적인 대응은커녕 소극적인 대응마저 기억 밖에 두었던 것이 사실이다. 부모가 무관심으로 일관하였다고 해도 지나친 말은 아닐 것이다.

현재 중·고등학교에는 전문상담교사(professional school counselor)라는 선생님들이 계신다. 1958년 이후부터 1990년 초까지는 '교도교사'라고 불리던 전문상담교사는 학생들의 정신위생을 위해 학생들에게 문제가 있으면 상담하여 문제를 해결하기 위해 만든 제도인데, 그야말로 유명무실한 형편이다.

전문상담교사들도 전공과목의 배당 수업을 맡으면서 상담을 해야 할 뿐만 아니라, 대개는 상담심리나 임상심리학을 전공한 선생님이 아니라 일반과목을 전공한 선생님들이다. 방학 동안 수박 겉핥기식으로 몇 주 교육을 시켜서 상담교사 자격증을 주고 맡긴 것이다. 이런 머저리들이 어디 있는가?

정신위생에 대한 실천을 제대로 하려면, 초등학교부터 중·고등학교, 대학교까지 상담·임상 심리학을 전공한 선생님들을 배치하여, 학생들을 상담하도록 해야 학생들이 마음 놓고 찾아가서 허심탄회하게 상담하고 문제를 풀어나갈 것이다.

필자가 1984년도에 〈중·고등학생들의 신경증 조사 비교연구〉라는 논문을 발표하였는데, 당시의 조사 결과로도 중·고등학생들에게 놀라울 정도로 심각한 정신적 문제가 있었다. 중학교 학생은 53%, 고등학생은 60%가 신경증 경향을 보였고, 4,560명의 조사인원 중 21.86%가 치료를 받아야 할 정도의 신경증을 중증 상태로 앓고 있었다. 이런 논문도 전문상담교사들이 나서서 연구할 과제인데, 필자가 대신 조사연구를 하였음에도 도움을 주기는커녕 오히려 발표를 방해하는 형편이었다.

이처럼 현실은 정신건강과 정신위생이 사각지대에 놓여 있다. 누군가가 관심을 가져서 중대한 오류를 바로잡아야만 한다. 한마디 제안을 하자면, 성장기의 청소년부터 정신건강 문제를 중요하게 생각하여 적극적 정신위생을 위한 제도적 장치를 마련해야 한다는 것이다. 가정은 물론 학교에서도 자녀들이 정서 불안을 겪지 않도록 정신위생을 위한 노력을 기울여야 한다.

본문에서도 여러 차례 반복하는 경구(警句)가 있다.

"재물을 잃는 것은 조금 잃는 것이고, 명예를 잃는 것은 많이 잃는 것이며, 정신건강을 잃는 것은 몽땅 잃는 것이다."

이 말을 늘 기억하면서 정신위생에 관심을 가지도록 거듭 당부한다.

이 규 태

〈차례〉

〈머리말〉 정신건강과 정신위생 4

臨床 및 相談心理 專門家法 草案 12

臨床 및 相談 心理專門家의 資格試驗 科目 및 敎材 26

히스테리 신경증(Hysteria Neuresis) 30

건망증 없애는 6가지 방법 34

공포신경증(Phobic Neursis) 38

강박신경증(强迫神經症) 41

임상 심리전문가(Clinical Psychologist) 45

신경증(Neursis) 52

정신분석(Psychoanalysis) 57

열등감의 보상(Compensation of Inferiority) 63

정신위생(mental hygiene) 68

자율신경실조증 74

신경쇠약(Neurasthenia) 78

공황장애(panic disorder) 81

불안신경증(Anxiety Neurosis) 84

동성애(同性愛. homosexuality) 88

사이코패스(psychopath) 92

콤플렉스(complex) 95

스트레스를 푸는 방법 98

화를 참는 방법 101

정서불안의 요인 104

정신건강 유지법 111

스트레스(stress) 114

말더듬이의 해법 117

정신건강의 판별 121

우울신경증(depressive neurosis) 126

불안과 공포의 이해 130

꿈(Dream)의 바른 이해 134

알코올 중독 140

자폐아동 146

불면증(Insomnia) 151

로카쇼쿠라 155

트라우마(Trauma) 159

우울증(憂鬱症) 자가진단법 165

ADHD(주의집중력 결핍증) 172

강박신경증(强迫神經症) 179

정신분열증(Schizophrenia) 183

정신장애자 환자들의 인권문제 188

臨床 및 相談心理 專門家法 草案

제1장 총칙

제1조 (목적)

이 법은 임상 및 상담심리 전문가의 자격과 그 업무를 규정함으로써, 국민의 행복과 건강한 정신적 삶을 영위하는 데 기여하고 국민의 사회복지 향상에 이바지함을 목적으로 한다.

제2조 (정의)

1. 이 법에 임상 및 상담심리 전문가라 함은 임상 및 상담심리의 업무를 담당하는 자로서, 보건복지부장관의 면허를 받은 자를 말한다.
2. 이 법에서 임상심리란 인간이 그의 개인적, 사회적, 직업적 성숙의 장애나, 적응실패를 일으킨 자가 효과적으로 재적응할 수 있도록 돕기 위하여 학교, 병원, 정신건강진료소, 재활원, 기업체, 교도소, 심리상담소 등에서 심리학적 방법으로 진단, 교정,

재교육의 업무를 수행함을 뜻한다.

   3. 이 법에서 상담심리란 인간이 개인적, 사회적, 직업적 발달과 성취를 보다 효과적으로 달성할 수 있도록 돕기 위하여, 학교, 병원, 정신건강진료소, 재활원, 기업체, 교도소, 심리상담소 등에서, 심리학적 방법과 상담을 통해서, 인간의 개인적, 심리적 방법 및 상담을 통하여 인간의 개인적, 심리적 문제를 연구하고, 해결하는 제반 업무를 뜻한다.

   제3조 (심리전문가의 등급)
   임상 및 상담심리전문가는 갑종과 을종으로 구분한다.
   단, 을종 심리전문가는 임상 및 상담 구분 없이, 을종 심리전문가라 칭한다. 이 법에서 임상 및 상담 심리전문가란 갑종 심리전문가를 의미한다.

   제4조 갑종 임상 심리전문가와 상담 심리전문가의
         업무 한계는 각령으로 정한다.

제2장 자격 및 면허

   제5조(자격 및 면허)

1. 임상 및 상담 심리전문가가 되고자 하는 자는 보건복지부에서 시행하는 해당 심리전문가 자격시험에 합격하고, 보건복지부장관의 면허를 받아야 한다.

2. 을종 심리전문가가 되고자 하는 자는 보건복지부에서 시행하는 을종 전문가 자격시험에 합격하여야 한다.

3. 외국에서 임상 및 상담 심리전문가의 자격을 받은 자로서, 보건복지부장관이 이 법에 의 한 해당 전문가와 동등한 자격이 있다고 인정할 때는 전항의 규정에 의하여 자격시험을 거치지 않고, 면허를 받을 수 있다.

제6조 (자격시험 및 응시자격)

1. 다음 각 호의 1항에 해당하는 자가 아니면, 갑종 임상 및 상담 심리전문가 자격시험에 응시할 수 없다.

(1) 임상 및 상담 심리 또는 이와 동등한 분야를 전공하고, 박사학위를 받은 자, 또는 박사 학위 취득 예정자로서, 갑종 임상심리 및 상담 심리전문가 또는 한국심리학회가 인정하는 전문가 밑에서 2년 이상 실무 경험을 가진 자.

(2) 임상 및 상담 심리학(동등 분야 포함)을 전공하고, 석사학위를 받은 자로서 갑종 임상 및 상담 심리전문가 또는 학회가 인정하는 전문가 밑에서 4년 이상의 실무 경험을 가진 자

(3) 을종 심리전문가로서 갑종 임상 및 상담 심리전문가 또는

학회가 인정하는 전문가 밑에서 4년 이상의 실무 경험을 가진 자.

2. 을종 심리전문가 자격시험에 응시하고자 하는 자는 대학에서 심리학(동등분야 포함)을 전공하여, 학사학위를 받고, 갑종 임상 및 상담 심리전문가 또는 학회가 인정하는 전문가 밑에서 2년 이상의 실무 경험을 가진 자.

제7조 (결격사유)

다음 각 호 1에 해당하는 자에게는 제5조 1항 3항에서 규정한 해당 심리전문가의 면허를 부여하지 아니한다.

1. 미성년자

2. 심신 상실자

3. 금치산자 한정치산자, 파산선고를 받고 복권되지 않은 자

4. 금고 이상의 형을 받고 그 형의 집행이 종료되거나, 집행을 받지 아니하기로 확정된 후 3년이 경과하지 않은 자.

5. 심리전문가로서 부적합하다고 인정되는 부도덕자, 불구 발병자, 폐업 기타 유독물질 중독 자.

6. 갑종 임상 및 상담 심리전문가 면허의 취소 처분을 받고, 취소된 날로부터 2년이 경과되지 아니한 자.

제8조 (면허증의 취득 및 재교부)

1. 보건복지부장관은 임상 및 상담 심리전문가의 면허를 부여

할 때는, 보건복지부에 비치하는 해당 심리전문가 등록대장에 면허에 관한 사항을 등록하고, 면허증을 교부하여야 한다.

2. 전항의 면허증을 분실 또는 훼손하였거나 그 기재사항의 변경이 있을 때에는 이를 재교부받을 수 있다.

3. 면허증을 타인에게 대여하지 못한다.

제9조 (면허의 취소 및 재교부)

1. 보건복지부장관은 임상 및 상담 심리전문가가 다음 각항에 해당할 때는 면허를 취소할 수 있다.

(1) 허위기재 또는 부정한 방법으로 면허를 받은 사실이 판명되었을 때.

(2) 제7조 2항, 3항, 또는 5항에 해당되는 자.

(3) 면허를 대여한 때.

2. 보건복지부장관은 제1항에 의하여 면허가 취소된 자라 할지라도, 그 취소의 원인이 된 사유가 소멸되었거나, 개전의 정이 현저하다고 인정이 될 때는 면허를 재교부할 수 있다.

단 제7조 6항에 규정한 시한에 반할 수 없다.

제10조 (유의명칭의 사용금지)

1. 임상 및 상담 심리전문가가 아닌 자는 심리전문가 또는 이와 유의한 명칭을 사용하지 못한다.

2. 을종 심리전문가라 할지라도 갑종 임상 심리 또는 상담 심리전문가나 이와 유의한 명칭을 사용하지 못한다.

제11조 (자격심의위원회)
1. 임상 및 상담 심리전문가 자격시험을 시행하기 위하여 보건복지부에, 심리전문가 심의위원회를 둔다.
2. 심리전문가 심의위원회의 조직, 기능, 운영, 기타 필요한 사항은 각령으로 정한다.
3. 임상 및 상담 심리전문가의 자격시험에 응시하고자 하는 자의 실무 경험의 심사는 심리전문위원회에서 관장한다.

제3장 업무

제12조 (무면허 업무 등의 금지)
임상 및 상담 심리전문가 면허를 받지 아니하고는 각령이 정하는 바의 심리 업무를 수행할 수 없다.
다만 다음 각항의 1에 해당하는 자는 각령이 정하는 범위 안에서만, 심리업무를 수행할 수 있다.
1. 외국에서 심리전문가 면허를 소지한 자로 일정 기간 국내에서 체류하는 자.

2. 대학원에서 심리학을 전공하는 자.

3. 심리학을 전공한 자로서 임상 및 상담의 임상 실습을 수련 중인 자.

제13조 (업무의 수행성)

임상 및 상담 심리전문가가 그 업무를 수행하는 데 있어서는, 법으로 특히 규정된 경우를 제외하고는 간섭을 받지 아니한다.

제14조 (소견서 등)

1. 갑종 임상 심리전문가 자신이 심리학적 진료 및 면접을 실시한 경우에만, 심리학적 소견서를 교부할 수 있다.

2. 갑종 상담 심리전문가 자신이 심리학적 상담 또는 검사를 실시한 경우에만 심리학적 소견서를 교부할 수 있다.

3. 갑종 임상 및 상담 심리전문가는 그가 진단 및 상담한 것에 대한 소견서 교부 요구가 있을 때는 정당한 사유 없이 이를 거부하지 못한다.

제15조(성실성의 의무)

1. 임상 및 상담 심리전문가는 인간의 존엄성과 가치를 믿으며, 심리학적 업무를 요구하는 내담자의 복지를 최선을 다해 지킨다.

2. 임상 및 상담 심리전문가는 전항의 업무를 분명히 하기 위

해, 심리전문가 협회에서 제정한 심리학자 윤리 규정을 성실히 이행한다.

제16조 (비밀의 보장)

1. 임상 및 상담 심리전문가는 법이 특히 규정한 경우를 제외하고는 그가 업무 수행 중 지득한 타인의 비밀을 누설하거나 발표하지 못한다.

2. 임상 및 상담 심리전문가는 법이 특히 규정한 경우를 제외하고는 환자 또는 내담자에 관한 기록을 열람시키거나, 그 기록에 응하여서는 아니 된다.

제4장 임상 및 상담 심리 전문기관의 개설

제17조 (등록)

1. 임상 및 상담 심리전문가가 아니고는 임상 및 상담 심리 전문기관(이하 전문기관이라 함)을 개설할 수 없다.

2. 임상 및 상담 심리전문가가, 전문기관을 개설하고자 할 때, 각령이 정하는 바에 의하여, 서울특별시장, 부산광역시장, 대구광역시장, 인천광역시장 또는 각 도지사에게 개설 등록을 얻어야 한다. 등록된 사항을 변경하고자 할 때도 같다.

3. 전항의 규정에 의하여 등록을 하고자 하는 자는 각령이 정하는 시설 기준에 의하여 필요한 시설을 갖추어야 한다.

4. 다음 중 각 1호에 해당하는 자에게는 개설 등록을 받지 아니 한다.

(1) 등록 신청서에 허위 사실을 기재한 때.

(2) 제20조의 규정에 의하여 개설 등록이 취득된 자로서 취소된 날로부터 6개월이 경과하지 아니 한 자.

(3) 이 법의 규정을 위반하여 행정상의 제재 처분을 받은 자로서, 그 처분이 있은 날로부터, 6개월이 경과하지 아니한 자.

제18조 (무등록 업무의 금지)

임상 및 상담 심리전문가는 전문기관 개설을 하지 아니하고, 심리 전문 업무를 행할 수 없다.

제19조 (업무의 보수)

임상 및 상담 심리전문가의 업무에 관한 보수의 기준은 제23조의 규정에 의하여 설립되는 임상 및 상담 심리전문가협회가 정하여 보건복지부장관의 허가를 받아야 한다.

제20조 (등록 취소 및 폐쇄)

지방장관은 심리 전문기관의 개설자가 다음 1에 해당될 때는,

당해 전문기관의 등록을 취소하거나, 폐쇄를 명할 수 있다.

(2) 이 법이 규정하는 보건복지부장관 또는 지방장관의 명령을 위반하였을 때.

제21조 (휴업 폐업 등의 신고)

전문기관의 개설자가 그 기관을 휴업, 폐업을 하거나, 휴업 기관을 재개한 때, 또는 각령으로 정한 사항의 변경이 있을 때에는, 그 휴업, 폐업, 재개 또는 변경이 있는 날로부터, 15일 내에 이를 지방장관에게 신고하여야 한다.

제22조 (광고의 제한)

1. 임상 및 상담 심리전문가가 전문기관을 재개설을 했을 경우, 영업을 목적으로 월 2회 이상의 광고를 할 수 있다.

2. 광고 문안에 세부적인 업무 내용을 열거하여서는 안 된다.

제23조 (보고 등)

1. 지방장관은 이 법의 시행에 관하여 필요한 때에는 심리전문가 기강의 개설자에게 필요한 사항을 보고를 명하거나, 소속 공무원으로 하여금 업무상황, 시설 또는 업무기록을 조사하게 할 수 있다.

2. 제1항의 관계 공무원은 그 권한을 증명하는 증표를 관계인

에게 제시하여야 한다.

제5장 임상 및 상담 심리전문가협회

제24조 (임상 및 상담 심리전문가협회)

1. 임상 및 상담 심리전문가는 심리 전문 업무에 관한 연구와 심리전문가의 윤리의 확립을 기하기 위해, 임상 및 상담 심리전문가협회(이하 심리전문가협회라 한다)를 설립하여야 한다.

2. 심리전문가 협회는 법인으로 한다.

3. 제1항의 규정에 의하여 심리전문가협회가 설립된 때에는 임상 및 상담 심리전문가 그리고 을종 심리전문가는 당연히 그 회원이 된다.

4. 심리전문가협회는 그 주 사무소의 소재지에서 설립 등기를 함으로써 성립한다.

5. 임상 및 상담 심리전문가협회는 그 성질상 한국심리학회 전문 산하기관이 될 수 있다.

제25조 (협회의 지부)

1. 심리전문가협회는 각령이 정하는 바에 따라서 서울특별시, 부산광역시, 대구광역시, 인천광역시, 울산광역시 및 각 도에 지

부를 둘 수 있다.

2. 심리전문가협회가 지부를 설치한 때에는 지체 없이 지방장관에게 신고하여야 한다.

제26조 (감독)

1. 임상 및 상담 심리전문가협회는 임상 및 상담 심리전문가법상 필요하다고 인정될 때는 전문가 기관 또는 전문가에게 필요한 지도와 명령을 할 수 있다.

2. 임상 및 상담 심리전문가협회장 및 지부장은 전문가 기강, 또는 전문가에 필요한 보고를 명할 수 있고, 업무를 검사하여 위배된 사항이 유할 시 시정명령을 명할 수 있다.

3. 임상 및 상담 심리전문가협회는 심리전문가 기관의 합법 개설자의 무면허 업무 등을 적발하여, 시정 및 고발의 책임을 진다.

제6장 벌칙

제27조 (벌칙)

다음의 각항에 해당하는 자는 5년 이상의 징역 또는 1,000만원 이하의 벌금에 처한다.

1. 허위 및 부당한 방법으로 면허를 받은 자.
2. 제10조 규정에 위반되어 임상 및 상담 심리전문가의 명칭을 사용한 자.
3. 제17조 규정을 위반하여 심리 업무를 행한 자.
4. 제8조 3항의 규정을 위반하여 타인에게 면허를 대여한 자.
5. 제12조 위반을 한 자.

제28조 (벌칙)
다음 각 항을 위반한 자는 1년 이하의 징역 또는 2,000,000원 이하의 벌금에 처한다.
1. 제13조
2. 제14조
3. 제15조를 위반한 자.

제29조 (양벌 규정)
임상 및 상담 심리 전문기관을 개설한 자의 대리인, 사용인, 기타 종업원이 그 개설자의 업무에 관하여 전조 벌칙의 위반을 할 때에는 행위를 벌하는 외에 해당기관의 개설자에 대해서도 각각 27조 28조 에 규정된 처벌 형을 처한다.

부칙

제1조 (시행일)
이 법은 공표한 날로부터 시행한다.

제2조 (임상 및 상담 심리전문가 면허제도)
1. 이 법 시행 이전에 한국심리학회가 실시하고, 임상 및 상담 심리전문가 자격시험에 합격하여 자격증을 취득한 자는 제5조 규정에도 불구하고, 해당 자격증에 합당한 면허를 받을 수 있다.
2. 이 법에 의하여 최초에 시행하는 임상 및 상담 심리 자격시험에 관하여는 각령이 정하는 바에 따라서 시험과목, 응시방법, 기타 자격시험에 관하여, 한국심리학회 임상심리분과회의 임상 및 상담 심리전문가의 자격시험 규정을 적용할 수 있다.

제3조 입상 및 상담 심리전문가협회가 설립될 때까지 협회가 관장해야 하는 업무는 한국심리학회 임상심리분과회가 대행한다.
제4조 이 법이 시행 당시 각종 심리 전문기관을 개설한 자는 2개월 내에 이 법에 준하여 등록을 해야 한다.

이 법 초안은 한국심리학회 임상심리분과학회에서 초안한 내용입니다. 이 초안 내용을 인쇄하고 정리를 한 사람은 임상 심리전문가 한명택 선생님과 이규태 교수입니다.

臨床 및 相談 心理專門家의 資格試驗 科目 및 教材

甲種 臨床 心理專門家

1. 성격이론 Theories of Personality Hall, & Lindzey, G., John Willy & Son Inc., 1970.

2. 학습이론 Theoris of Earning, 3rd ed. E.R Hilgard &G.H. Bowers, N.Y, Appleton Croftd 1966.

3. 생리심리학 Physiological Psychology 3rd. ed C.T. Morgan, McGraw-Hill 1950

4. 정신병리학 Pernality Development and N.Cameron Bdston: Houghton Mifflin Psychopathology 1963

Abnromal Psychology Roasen & Gregory W.B. Saunder Co 1962

5. 심리치료 Changing Man,s Behavior H.R. Beer, Pagunin, Book Co. 1970

Principal of Behavvior Modification Bandula, A. Holt, Rinehart & Winston, Inc. New York 1960

Counseling and Psychitherpy C.R. Rogers, Boston : Houghton-Mifflin, 1942

The Helping Interview Benjamin, A, Boston : Houghton-

Mifflin 1969

Psychiatric Interview H..S. Sullivan, Norton, New York, 1954

Technic and Practice of Psychoanalysis L. J, Saul, Linppincott Co, Philadelphia 1958

6. 심리진단 The Clinical Application of Psychological Test R, Schafer, N.Y, International Univ. Press, 1965

Diagnostic Psychological Test D. Rapaport, Chicago, The Year Book Medical Publishers, 1946

A, Visual Motor Gestalt Test and It.s Clinical Use L, Bender, The American Orthopsychiatric Association , N, Y, 1938

Developments in The Rorschach Technique. I II Klopfer, et al, World Book Co, N.Y.,1964

Thematic Apperception Test & The Childerns Apperception Test in Clinical Use Bellak, b., Grune & Stratton, N.Y., 1954

MMPI Handbook Dahlston, W, G, & Welsh, G,S, The Univ. of Minn, Press., 1960

A Hand Book for Clinical and Actuarial MMPI Interpretation Gilberstadt, H, & Duker, J., W, B,

Saunders co, Philadelphia & London, 1965

　한국판 Wechsler 지능검사 전용신, 서봉연, 중앙적성연구소 서울, 1963

　고대 비네 검사 전용신, 고려대학교 행동과학연구소, 1971

　6. 실험설계 Experimental Design in Psychological A, L, Edwards, Rinehart & co, Research Inc N, Y, 1960

　실험설계법 김호권, 차재호 편역, 배영사, 서울, 1966

甲種 相談 心理專門家

　갑종 임상 심리전문가의 1. 성격이론, 2. 학습이론, 5. 심리치료, 7. 실험설계의 4과목은 공통임.

　1. 상담이론 Theories of Counseling and Psychotherapy C, H, Patterson, N, Y, Harpers &Row 1966

　2. 집단상담 Basic Approaches to Group Psychotherapy G, M, Gazda, Illilnois and Group Counseling C, C, Tomas, 1968

乙種 心理專門家

　1, 심리학개론 일반심리학 정량은, 법문사 서울 1966

2. 학습심리학 Basic Psychology of Learning J, Deese & S, Hulse N, Y, McGraw Hill, 1967

3. 성격심리학 Psychology of Personality R, Stagner, N, Y, McGraw-Hill, 1961

4. 상담심리학 Therpetic Psychology L, M, Shostrom, ed, al Prentice Hall, 1968

5. 발달심리학 김성태, 법문사, 서울, 1967

6. 이상심리학 Abnormal Psychology and Mordern Life Rev, ed, J, C, Coleman, N, Y, Scott, Foresman, 1964

7. 임상심리학 Clinical Psychology R, Wallen, N, Y, Mcgraw-Hill, 1966

8. 검사 및 측정 Psychological Testing A,nastasi, N, Y, McMillan, 1954

9. 심리통계 Fundmantal Statitics in Psychology and Education 4th ed, J, P, Guilford, Mcgraw-Hall, 1965

상기의 내용은 1972년 3월 3일 임상심리분과학회 월례회에서 결정된 사항임.

히스테리 신경증(Hysteria Neuresis)

히스테리 신경증은 크게 두 가지로 나눌 수 있다. 그 중 하나는 해리상태의 현상이고, 다음은 전환상태의 현상이다. 해리상태는 주로 정신상태의 현상으로 나타나며, 전환상태는 육체적인 상태의 현상으로 나타나는 것이 특징이다.

히스테리란 말은 여성의 자궁(hysteron)이 여자의 몸 안에서 왔다 갔다 움직이기 때문에 생기는 병이라고 하여 히포크라테스(Hippocrates)가 처음으로 사용한 말이다. 우리가 말하는 신경증적인 심리현상을 말하기보다는 히스테리 신경증은 정신적 또는 육체적 현상으로 나타나는 것이 특징이라고 할 수 있다.

전환반응(conversion type)

이 증상은 신경증 중에서도 가장 원시적인 형태의 질병으로서 자기도 모르게, 마음속 깊은 무의식에 숨겨져 있던 정신적인 갈등이 그대로 밖으로 표현되지 못하고, 다른 형태로 상징화되어서 신체적 증상으로 나타나는 것을 전환형의 히스테리 신경증이라고 한다.

이런 증상을 나타내는 사람의 성격은 대부분 미성숙하고, 이기적인 면이 많으며, 외모나 말하는 것도 자기중심적이며, 주위 사람들에게 관심을 갖도록 유발하고, 타인의 눈에 띄게 행동하는 것이 특징이다. 생활은 항상 연극성을 띠고, 남의 동정을 사고, 남에게 좋은 인상을 심기 위해서 행동하는 특징이 있으며, 우리의 생활에서는 성(性)의 문제와 관련된 실망, 욕구, 갈등이 히스테리를 유발하는 영향력이 큰 요인이 된다.

특히 이런 히스테리 현상은 여자들에게 많고, 남자들은 체면 유지, 자존심의 위협, 경제적 문제를 유발시키는 원인을 제공하는 요인이 된다. 신체의 부분적, 전신적 마비 현상이 나타나기도 하고, 언어적으로는 바보 같은 실어증이 나타나며, 히스테리 진통이 와서 몸을 떨기도 한다. 손이 떨리면 글쓰기가 어렵고, 히스테리 발작이 일어나서 졸도를 할 때, 위험한 곳으로는 넘어지지 않으며, 감각의 상실증이 발생하는 등의 특징을 보이는 증상이 히스테리 전환 반응이다.

해리반응(dissociative type)

히스테리 해리반응은 성격의 적응기능이 와해되어서 각각 해리되는 현상이 나타나는 증상이다. 불안감을 너무 깊이 간직하여 갈등이 심하게 일어나며, 평소 자기가 적응하던 것과는 전혀 다르게 독자적으로 성격의 기능을 활용하는 것을 말한다.

불안을 일으키는 억압된 충동은 이인증, 이중성격, 혼미, 몽롱한 상태, 기억상실, 몽유병과 같은 정신적인 현상을 일으키는 것이 특징이다.

이런 특징은 정신활동에서 기억상실이 나타나는데, 장기간이나 단기간의 상실 현상이 오며, 특정기간만 잊어버리는 상실도 오고, 몽롱한 상태가 나타나서 의식에 장애가 발생하며, 강한 감정적 손실이 있은 후에는 의식이 혼미한 상태가 되어서 꿈꾸는 상태처럼 되고, 환상과 착각의 체험을 갖게 되며, 몽환 상태가 되면 황홀한 경지에 도달하기도 하고, 이중성격의 문제로 대인관계에 어려움을 겪기도 한다. 둔주에서 일어나는 현상이 잠을 자다가 갑자기 일어나서 행동하지만, 잠에서 깨어나면 잊어버리는 몽유병의 증상을 나타낸다. 특징적인 현상은 가면성의 바보 같은 행동을 하는데, 수(數)의 계산에서는 2+2=4임에도 5로 대답하는 증상을 보인다. 이런 해리반응을 보이는 것이 히스테리 해리 반응이 나타나는 증상의 형상이다.

이상과 같은 히스테리 신경증을 앓고 있는 사람들을 대하다 보면 여러 가지의 특성을 볼 수 있다. 대부분은 크게 문제로 보지 않으며 대인관계를 유지하면서 일상생활을 하는 사람들도 대단히 많다. 이런 증상을 모르든지 알고 넘기든지 하여서 증상이 심화가 되면 현실 적응이 쉽지 않다. 이럴 때는 정신과 병원을 찾아가서 전문의와 상담을 해야 하고, 초기에 증상을 잡는 것이 중요한 일이다. 그리고 자신의 증상이 어느 정도인지 확실하게 알려면, 임상 심리전문가에게 종합심리진단검사를 받아야 한다는 사실도 잊어서는 안 된다.

간질환자가 졸도할 때는 안전한지 위험한지 모르고 균형이 잡히는 대로 넘어지지만, 히스테리 신경증 환자는 위험한 곳으로는 절대 넘어지지 않는다는 사실도 특징 중의 하나다.

건망증 없애는 6가지 방법

가스는 잠그고 나왔나? 휴대폰을 냉장고에 깜박…뇌 양쪽에 있는 '해마'가 건망증의 핵심 키워드다. 직경 1cm, 길이 10cm 정도의 오이처럼 굽은 해마에는 우리가 보고 듣고 느낀 것들이 모두 저장된다. 하지만 해마의 뇌 신경세포는 태어나는 순간부터 조금씩 파괴되기 시작해, 20세 이후엔 파괴되는 속도가 급격히 빨라진다. 1시간에 약 3,600개의 기억 세포들이 사라진다고 한다. 하지만 이 속도를 늦출 방법은 있다. 전문가들이 권하는 6가지 방법이다.

뇌혈류 증가, 걷기

미국 일리노이대 의대 연구팀이 평균적인 뇌 크기를 가진 사람 210명에게 1회 1시간씩, 1주일에 3회 빨리 걷기를 시키고, 3개월 뒤 기억을 담당하는 뇌세포의 활동 상태를 조사했더니, 자신의 연령대보다 평균 세 살 어린 활동력을 보였다. 연구팀은 걷기 운동을 하면 운동 경추가 자극돼 뇌혈류가 두 배로 증가된다는 사실도 밝혀냈다.

서울대병원 신경과 이동영 교수는 "걸으면 혈류 공급이 원활해진다. 뇌세포를 죽이는 호르몬이 줄어 뇌가 훨씬 복합적이고 빠른 활동을 수행해낼 수 있다. 이런 운동은 장기적으로 기억력 향상에 큰 도움이 된다."고 말했다.

기억 수용체 자극, 와인

뉴질랜드 오클랜드의대 연구팀은 하루 1~2잔의 와인이 기억력을 크게 향상시킨다는 연구 결과를 내놓았다. 뇌에는 NMDA라는 기억을 받아들이는 수용체가 있는데, 이것이 알코올에 민감하게 반응해 활성화된다는 것이다.

건국대병원 신경과 한설희 교수는 "소량의 알코올은 NMDA를 자극할 뿐 아니라 혈관을 확장시켜 혈류도 좋게 한다. 특히 적포도주의 항산화 성분은 뇌세포 파괴도 동시에 막아주기 때문에 기억력을 증대시켜 준다. 그러나 하루 5~6잔 이상의 과도한 음주는 오히려 뇌세포를 파괴시켜 기억력을 감퇴시킨다."고 말했다.

중추신경 흥분제, 커피

프랑스국립의학연구소 캐런리치 박사가 65세 이상 성인 남녀 7,000명을 대상으로 4년 동안 연구한 결과, 커피를 하루 세 잔 이상 마신 그룹은 한 잔 정도 마신 그룹에 비해 기억력 저하 정도가 45% 이상 낮았다.

캐나다 오타와대 연구팀이 1991~1995년 4개 도시 6,000여 명을 조사한 결과에서도 카페인을 꾸준히 섭취한 그룹이 그렇지 않은 그룹보다 기억력 테스트에서 평균 31%가량 높은 점수를 받았다. 서울아산병원 신경과 고재영 교수는 "커피의 카페인 성분은 중추신경을 흥분시켜 뇌의 망상체(의식조절장치)에 작용해 기억력을 높여준다."고 말했다.

스트레스 호르몬 감소, 잠

미국의 정신의학자가 2000년 《인지신경과학지》에 발표한 논문에 따르면 지식을 자기 것으로 만들려면 지식을 습득한 날 최소 6시간을 자야 한다고 주장한다. 수면 전문 병원 예송수면센터 박동선 원장은 "수면 중 그날 습득한 지식과 정보가 뇌의 측두엽에 저장된다. 특히 밤 12시부터는 뇌세포를 파괴하는 스트레스 호르몬인 코티졸이 많이 분비되기 때문에 이때는 꼭 자는 것이 좋다."고 말했다.

기억을 돕는 노력, 메모

우리 뇌의 장기기억(오랫동안 반복돼 각인된 것)의 용량은 무제한이다. 하지만 단기기억(갑자기 외운 전화번호, 그날 할 일의 목록, 스쳐 지나가는 상점 이름 등)의 용량은 한계가 있다. 한림대 강동성심병원 정신과 연병길 교수는 "기억세포가 줄어든 연령대에는 하루 일과나 전화번호 등은 그때그때 메모하는 것이 좋다. 오래 외울 필요 없는 단기기억들이 가득 차 있으면 여러 정보들이 얽혀 건망증이 더 심해질 수 있기 때문이다."라고 말했다.

기본 기억력 향상, 독서

치매 예방법으로 알려진 화투나 바둑보다 독서가 더 기억력 유지에 좋다. 경희대병원 연구팀이 바둑, 고스톱, TV 시청, 독서 등 여가 생활과 치매와의 상관관계를 조사한 결과 독서를 즐기는 노인의 치매 확률이 가장 적었다. 바둑이나 고스톱의 치매 예방 효과는 거의 없었다.

경희대병원 가정의학과 원장원 교수는 "독서를 하면 전후 맥락을 연결해 읽게 되므로 단기 기억을 장기기억으로 전환시키는 과정을 반복해서 훈련하게 돼 기억력 증진에 큰 도움이 된다."고 말했다.

공포신경증(Phobic Neursis)

공포신경증은 사람들이 원래 가지고 있는 두려움이 그 대상이나 생각 또는 상황에서 그 느낌을 상징화하는 두려움의 대상, 생각, 상황으로 옮김으로써 그의 불안을 방어하는 것이다. 다시 말해 공포의 상황에서 방어는 대치와 상징화의 기재를 늘 사용한다. 만일 공포를 일으키는 상황에 차하면, 사람들은 불안해하고, 기절하기도 하며, 땀도 많이 흘리고, 가슴이 뛰며, 오신, 구토가 나타나며, 몸을 떠는 행동을 보인다.

이런 공포의 상황이 되면, 행동을 계속할 수가 없으며, 극심한 공황 상태에 빠지면서 극심한 공포를 느끼는 동시에 불안해하기 때문에 이를 공황장애라고도 하는 것이다. 이러한 공포신경증은 그 종류도 많고, 사람에 따라서 다양한 증상을 보이는 것이 특징이다. 또는 공포를 느끼게 하는 대상이 있기 때문에 대상에 따라서 두려움이 크기도 하고 덜하기도 한 것이다.

높은 곳에 올라갈 수 없는 고소공포증, 교통수단인 자동차, 기차, 비행기 등을 타지 못하는 교통공포증, 광장이나 좁은 곳에 오래 있지 못하는 광장·협소공포증, 아이들이나 성인들을 두려워하고 사람 공포를 느끼는 대인공포증, 얼굴이 붉어지는 적면공포증, 문이나 창이 밀폐된 장소에 있지 못하는 폐쇄공포증, 사람의 시선에 불안을 느끼는 시선공포증, 작은 동물이나 곤충을 두려워하는 동물공포증, 죽지 않을까 염려하는 사망공포증, 질병에 걸리지 않을까 염려하는 질병공포증, 고통을 참지 못하는 고통공포증, 어두움을 두려워하여 밤이면 밖에 나가지 못하는 암흑공포증 등등 헤아릴 수 없이 많은 공포증이 있다.

이런 증상 외에도 날카롭거나 뾰족한 것을 보지 못하는 것, 예리한 물건에 두려움을 느끼는 것, 암이나 고혈압, 에이즈, 당뇨, 심장마비 등 현대 질병에 대한 두려움이나 전염병에 대한 두려움도 공포를 유발하는 요인이 되기에 공포신경증의 한 요소가 될 수 있는 공포의 대상이다.

이런 공포의 대상을 만나면 두려움 때문에 현재 위치에서는 제대로 적응하지 못해서 그 대상을 피하는 것이 좋다는 생각으로 피하려고만 하는 것이 특징이기도 하다.

그러나 이런 공포를 일으키는 대상을 피하더라도 공포 자체는 남아 있게 마련이다. 이런 때는 피하려고만 하지 말고 오히려 접근하는 방법을 택해야만 한다. 공포의 대상을 처음 겪을 때는 그 강도가 100이지만, 만나는 회수가 많아질수록 공포의 강도는 점차 줄어든다는 사실을 이해할 필요가 있는 것이다.

말하자면 피하는 것은 소극적 방법이지만, 적극적 방법은 접근하는 방식인 셈이다.

　　예를 들어 고소공포증을 앓고 있는 환자에게 쉬운 일은 아니겠지만 번지 점프를 시키면 한 번 뛰어내리고, 두 번 뛰어내리고, 점차 뛰어내리는 회수가 많아질수록 공포가 늘어나는 것이 아니라, 공포는 줄어들어서 나중에는 공포가 말끔히 없어진다. 이것이 접근하는 방법으로 공포를 없애는 방법인 것이다.

강박신경증(强迫神經症)

　강박신경증(Obsessive-Compulsive Neurosis)은 불안과 연관이 깊으며, 환자 자신이 병적이라고 생각하고 있는 원하지 않는 생각이 꼬리를 물고 이어지거나 한 가지 생각에 고정되어 되풀이하여 생각하는 증상 또는 특정한 쓸데없는 행동을 반복하여 행하는 충동과 관련이 많다. 특히 강박신경증은 자각적인 강박감과 그에 대한 저항, 그리고 병식(病識)을 가지는 점이 특징이다. 이러한 증상에 대해 신경전달 물질을 원인으로 보는 학자들도 있어, 약물로 처방을 하지만, 근본적인 원인은 후천적 요소가 있다고 보는 것이 대세이다.

　그렇기 때문에 강박신경증의 가장 큰 후천적 요인으로 꼽는 것이 자라온 환경이다. 부모가 강압적으로 억압하는 분위기에서 자랐거나, 너무나 깔끔하고 깨끗하게 정리정돈을 하는 환경에서 자랐거나, 정직하고 빈틈없는 일 처리를 강요받으면서 자란 아이들은 강박적 성격을 갖게 되어, 이런 증상으로 발전할 요인이 크다고 하겠다.

강박신경증의 증상으로는 먼저 강박적 사고를 꼽을 수 있다. 한 가지 문제의 생각에서 헤어나지 못하고 고착이 된다든지, 한 가지 생각에서 다른 생각으로 옮기면서 꼬리에 꼬리를 물고 계속하여 생각을 한다든지 하는 증상이다. 다른 한 가지 증상은 강박적 행동의 반복이다. 쓸데없는 생각에 빠져 있기 때문에 했던 행동을 되풀이하는데, 한 번이 아니라 5~6회 이상 반복하는 것이 강박 행동이다.

　강박 사고나 강박 행동은 환자들의 마음을 사로잡기 때문에 견디기가 어렵다. 이런 생각의 내용들은 끔찍하고, 더럽고, 음담패설에 사로잡히고, 신(神)을 모독하는 생각, 마음에 차지 않는다는 생각이 들어 견디지 못한다. 강박적 사고의 고착을 반추라고도 하는데, 이는 종교적인 것과 철학적 또는 형이상학적인 인간의 창조나 운명, 무한의 능력, 책상의 다리가 왜 3개가 아니고 4개냐는 등 필요하지 않거나 아무 것도 아닌 것에 얽매여 벗어나지 못하는 것이다.

　그리고 되풀이하는 강박적 행동은 현실적으로 필요 없는 것인데도, 열 번 가까이까지 반복하여 행동하기 때문에 시간적 낭비와 노고가 뒤따르며 곤혹스러운 고역(苦役)의 행동을 되풀이 한다. 손을 한 번 씻으면 될 것을 5~6회 이상 씻으면서도 찬물과 뜨거운 물에 번갈아 가면서 씻는 행동이 반복되는 것이다.

　이러한 강박적 사고나 강박적 행동이 되풀이되거나 고착화되는 현상을 보이는 것은 환자의 강한 의심증(疑心症, suspicion) 때문에 고착되거나 행동이 반추되는 현상을 보인다. 한 번 책상의 서랍을 잠가 두고도, 잠시 후에는 잠겼는지 의심이 들어서 확인을 하게 되고, 또 그 안에 있던 중요한 물건이 그대로 있는지 확인하고 나서 자물쇠로 잠근다. 그래도 될 터인데 이런 쓸데없는 행동을 5~6회나 반복하는 행동이 의심에 의한 행동의 반복이다.

이런 강박신경증은 자라온 환경의 영향을 받아 성장하면서 성격이 강박적 성격(obsessive personality)의 소유자가 되기 때문이고, 자기 성격대로 현실 적응을 고집하기에 증상이 발생하는 것으로 볼 수 있으며, 이런 성격은 까다롭고, 짜증을 잘 내며, 시간을 철저하게 지키고, 끈덕져서 일을 집요하게 하고, 정직하며, 완고하고, 양심적이며, 인색한 면도 강하고, 항상 일을 완벽하게 처리해야 한다는 면을 갖고 있는 사람이다. 또 자라날 때 부모가 지나치게 대소변 훈련을 시킨 경우에도 강박신경증의 원인이 되는 경향이 많다고 한다.

이러한 강박적 사고나 행동은 자기방어를 위한 행동이나 사고일 수도 있겠으나 생각과 행동은 어디까지나 보편적이고 현실적일 때 현실 적응이나 대인관계에서 원만한 것이다.

강박적인 사고와 행동이 약물에 의해서 단 시일 내에 치료가 되거나 완전하게 없어지는 것은 아니다. 그렇기에 강박적 반추가 어떤 사실과의 차이에서 오는 알력에서 비롯된 것이든, 미숙한 집념에서 오는 것이라면, 문제의 토의와 재교육을 주로 하는 정신치료가 효과적일 수 있고, 다른 면으로는 성격을 변화시키는 일로, 시간을 철저하게 지키는 것을 고집하는 현실 적응이 만사를 해결하는 방법이 아니라, 여유 있게 조금 늦거나 빨라도(플러스마이너스 5분) 이해하는 마음을 갖도록 상담으로 풀어나가는 것도 좋은 치료의 한 방법이다.

여유를 갖게 하는 넓은 사고와 마음을 가지고, 현실에 적응해 나가도록 천천히 유도하는 방법을 택하여 이끌고, 한 가지 고착되어 있는 사고나 일에 대한 것을, 그것뿐만이 아닌 전혀 다른 것에 관심을 가지도록 유도하는 방법도 치료에 도움이 될 것이다. 강박신경증 환자들도 자신의 문제를 털어놓고 대화를 하고, 상담사로부터 통찰력을 키우기를 바라면서 심리치료를 받기를 원하는 사람들이 많다.

반복되는 행동이나 고착된 사고를 하지 않아도 마음의 불안을 없앨 수 있다는 점을 이해시킨다면 되풀이되는 행동을 점진적으로 줄여 나가는 것이 곧 바람직한 치료라 할 수 있다.

임상 심리전문가(Clinical Psychologist)

　임상 심리학이란 학문은 정신의학적으로 사람의 심리상태를 파악하기 위한 여러 가지 검사와 분석 방법, 심리검사 결과와 치료 방법 등 정신장애에 대한 지적 이론과 경험을 바탕으로 사람의 심리상태를 다루는 학문이라 할 수 있다.

　육체적 질병을 진료하기 위해 혈액, 대소변, 장기의 일부를 발취하고 검사하여 질병의 원인을 밝히는 검사를 담당하는 임상 병리사가 있듯이, 정신적 장애의 원인과 검사, 분석 등을 통해 장애의 분류와 치료방법, 증상의 상태, 완치 치료기간 예측 등을 파악하고 정신장애 환자들의 정신감정을 해주는 사람이 임상 심리전문가이다.

　이러한 학문에 기초하여 전문가가 되기 위해서는 10년 이상 전문 교육기관에서 교육을 받고, 해당 기관에서 임상 실습을 한 다음, 한국심리학회 임상심리분과에서 치르는 10가지 학과 시험에 합격하여야 자격증을 부여한다.

　임상 심리전문가가 되기 위해서는 우선적으로는 대학에서 심리학을 전공하고, 대학원에서 임상 심리학을 전공하여야 한다. 그리고 석사학위는 3년, 박사학위는 2년 동안 대학교 학생지도 연구소나 종합병원 정신과에서 임상 실습을 거친 사람을 대상으로 임상심리분과에서 치르는 시험에 합격하면 자격증이 부여되는데, 한 해 2~3명이 배출된다.

국가의 공인자격증은 아니지만, 임상 심리전문가 자격증은 공인자격증과 마찬가지로 인정해주는 자격이다.

현재 한국의 현실은 이런 임상 심리전문가가 모든 종합병원 정신과나 개인 의원에 상주해서 내원하는 장애자들에게 종합심리진단검사를 실시해서 장애의 종류(성격 장애인지, 신경증인지, 정신분열증인지)를 밝히고, 어떤 장애에 해당하는지, 증상의 상태가 어떠한지, 바로 치료를 해야 할 정도인지, 어떤 치료방법이 적당한지, 치료 기간까지 예측하고 파악해서 전문의와 상의하여 치료를 해야 하지만, 임상 심리전문가가 없기에 이런 절차 없이 진료를 하는 실정이다.

선진국인 미국이나 일본 등은 임상 심리전문가 법이 제정되어 있어서, 임상 심리전문가들이 모두 개인 상담소를 개설하여 가벼운 증상인 성격장애나 신경증(노이로제) 등에 대해 심리치료를 하고 있는 실정이라서, 한국에도 임상심리 전문법이 제정되어야 한다는 생각에, 1975년도 한명택 선생님과 몇 사람이 법 초안을 만들어서 학회에 보고하여 입법을 추진하였으나, 정신의학회에서 반대하여 현재까지 법 제정이 되지 않고 있는 실정이기에, 조속한 기일 안에 입법을 재고할 필요가 있고, 법이 제정되어야 한다고 본다.

환자를 돌보며, 병을 치료하는 의료인들 모두는 환자가 우선적으로 질병을 치료할 수 있어야 올바른 진료라 할 수 있으나, 돈이 없으면 치료를 받지 못하고, 문전박대로 시간을 넘겨 사망하는 경우가 흔하게 일어나는 게 우리의 실정이 아닌가? 참된 의사란 환자를 우선적으로 치료부터 해야지 돈부터 요구하는 행위는 옳지 못한 비열한 행위이다. 슈바이처 같은 의사가 되어서 환자들을 진료하고 치료해야 한다고 생각한다.

임상 심리전문가가 하는 종합심리진단검사는 사람에 따라 다소 차이는 있으나, 대부분이 같은 검사를 한다고 보면 될 것이다. 필자는 7가지를 검사하고 분석해서 판정을 하고 있다.

MMQ(Madusely Medical Questionnaire)는 간이 성격검사로, Eysenck. H. J(아이젠크) 교수가 창안한 검사이며 60개 문항으로 구성되어 있다. '예.', '아니오.'로 응답하고 점수를 환산하여 판정을 하는데, 23점 이하가 정상이며, 24~34점까지는 신경증, 35점 이상은 심한 증상으로 판정하는 것으로 매우 정확한 결과가 나타난다.

H.T.P(House, Tree, Person) 검사는 집, 나무, 사람을 16절지 백지에 그리고 싶은 대로 그림을 그리도록 하고 분석해서 판정을 하는데, 투사검사의 일종인 이 검사는 분석할 때, 그림의 위치, 그림의 내용, 왜곡된 그림의 형태, 스페이스 사용 등을 기준으로 하여 결과를 판정하는 것이다.

S-C(Sentence Completion) 검사는 문장 완성 검사로 40항목의 문항으로 구성되어 있으며, 주어진 주제에 따라 글의 나머지 빈칸을 채우는 문장 완성 검사로, 마음에 쓰고 싶은 대로 많이 쓰도록 지시한 다음, 결과를 13개 항목으로 구분하여 분석하고 판정을 하는 것이다.

Bender-Gestalt 검사는 지각 형태 검사로 9개 도형을 보고 그대로 그림을 그리도록 지시를 한다. 이 검사는 뇌 기능의 이상까지 분석할 수 있는 검사로, 분석기준은 그림의 배열순서, 그린의 왜곡된 정도, 공간의 이용, 그림의 크기, 형태의 변화, 운동과 추사 등을 세분하여 분석하고 판정을 한다.

투사 검사는 무의식의 잠재된 원인과 갈등의 문제를 파악하기 위한 검사로, 로르샤흐(Rorschach) 검사와 주제 통각 검사(T.A.T)가 있다.

Rorschach 검사는 10개의 도판으로 구성되어 있으며, 유색과 무색이 반반으로 정확한 행태를 이룬 그림이 아니라, 비(非)형태적인 대칭 그림이다. 한 장 한 장을 보여주면서, "이 그림이 무엇을 닮았는가? 왜 그렇게 보이는가? 무엇 때문에 그렇게 보았는가? 생각나는 대로 말을 하라."고 하여 반응을 기록용지에 기록한 다음, 점수를 환산하고, 판정을 하는 검사이다. 분석기준은 그림을 보고 응답할 때, 본 그림이 대부분(W), 큰 부분(D), 소부분(d)이냐? 그림을 볼 때 색채(C)를 보고 반응한 것이냐, 움직이는 동작(M, FM)을 보고 한 것이냐?, 모양(F)을 보고 반응한 것인가? 그림의 내용이 무엇이었는가? 사람(H), 동물(A)로 보았는가? 등으로 반응영역, 결정인, 반응 내용, 평범함 또는 독창 반응, 형태의 수준 등을 분석하여서 반응한 내용을 기록용지에 기록하여서 전체적으로 반응 내용을 분석해 나가는 것이다.

T.A.T(Thematic Apperception Test) 주제 통각 검사는 일상생활에서 볼 수 있는 장면의 그림을 한 장 한 장 보여주면서 질문하여 검사를 하는 것이다. 모두 31편의 그림으로 구성되어 있으며, 모든 피검사자에게 공용으로 사용하는 도판이 11매, 성인 남성(M), 소년(B) 공용 7매, 성인 여성(F), 소녀(G) 공용 7매, 성인 공용, 미성년 공용, 소년소녀 공용, 백지 1매 등으로 구성되어 있는 검사다. 질문은 현재의 도판에 나타난 그림이 어떤 상황인지 묻고, 그런 상황의 원인이 무엇인가? 앞으로 그 상황이 어떻게

전개되어 나갈 것인가? 하는 질문을 하여 그 반응을 기록하고 분석해서 판정을 하는 것이다.

　M.M.P.I(Minnesota Multipasic Personality Inventory)인 다면 성인성 검사는 566문항으로 구성되어 있으며, 임상 척도가 10개항으로 해놓은 검사로 '예.', '아니오.'로 답한 것을 채점기준에 따라 T점수로 환산하여 프로파일해서 상위 3개 임상 척도를 가지고 정신장애 판정을 하도록 되어 있는 검사로서 한국판 검사는 정확하지 않아서 필자는 미국 원판을 이용하여 검사를 하고 판정을 한다. 이 검사의 신뢰도를 판정하기 위해서는 L, F, K 점수가 있어 확인 할 수 있기에 더욱 신뢰가 가는 검사다. 임상척도는 심기증(Hs), 우울증(D), 히스테리(Hy), 반사회적성격(Pd), 남녀성향(Mf), 편집증(Pa), 정신쇄약(Pt), 정신분열증(Sc), 경조증(Ma), 내외성향(Si) 등 10개의 임상척도로 구성되어 있다. 다면성인성 검사인 이 검사의 결과는 해석 편람을 이용해서 판정하기도 하지만, 수십 년간 쌓은 경험과 임상 실습을 통해 얻은 지식을 동원하여 판정을 해야 한다.

　필요할 때는 지능검사도 하는데, 지능검사는 지면 검사보다는 웨슬러 지능검사 한국판인 KWIS나 KWISC를 활용하여 검사를 하는데, 언어성 검사와 동작성 검사로 구분되어 있으며, 이 지능

검사도 하는 사람에 따라서, 검사 받는 사람의 컨디션에 따라서
도 차이가 나기 때문에 정확한 지능 산출을 위해서 매우 신중해
야 한다. 전문가가 아니면 이런 특수한 검사는 할 수도 없거니와
채점하여 환산하는 일도 어려운 점이 많다.

   이상의 검사를 하여 종합적인 분석을 하고 그 결과를 근거로
정신장애를 감정하여, 소견서를 정신과 전문의에게 내어 환자를
올바르게 치료하도록 돕는 일을 하는 사람이 임상 심리전문가이
다. 필자가 쓴 책『정신건강을 위한 심리치료』라는 책에는 정신
감정을 위한 실시 방법과 채점 내용, 분석 방법 등이 더욱 자세
하게 개재해 두었기 때문에 많은 참고가 될 줄 믿는다. 인터넷
창에서 책명을 검색해 보면 파악할 수 있을 것이다.

신경증(Neursis)

　신경증(Neursis)이란 해결하기 어려운 심적·정신적 문제로 갈등 상황에 놓였을 경우에 일과성(一過性) 또는 지속상태로 심리적·생리적 내성(耐性)의 저하가 준비인자(準備因子)가 되고, 그 위에 어떤 심리적 뒷받침이 된 조건이 결실인자(結實因子)로 작용함으로써 대인관계나 현재 진행하고 있는 일에 장애를 초래하는 상태를 말한다.

　신경증에 대해 흔히 쓰는 '노이로제'라는 말은 독일식 발음에서 온 것인데, 신경쇠약(Neurasthenia)으로도 사용되는 말이다.

　신경증의 발생 원인을 기질적 장애와 기능적 장애로 구분하는데, 기질적 장애는 인체의 기관에 이상이 생겨서 일어나는 증상을 말하고, 기능적 장애는 욕구불만으로 인한 심적 갈등으로 인하여 일어나는 증상을 말한다. 샤르코(J. M. Charcot)나 정신분석학파의 창시자인 프로이트(S. Freud)는 기능적 장애를 가장 유력한 원인으로 꼽았다.

　일반적인 정신의학자들은 기능적 장애에 기준을 두고 현실생활을 해 나가면서 수많은 욕구좌절을 겪게 되어, 좌절된 욕구가 무의식에 잠재하여 갈등을 일으킴으로써 정신력이 약화되어 마음의 구조인 본능(ID), 자아(Ego), 초자아(Super Ego) 간에 서로 견제하는 힘이 균형을 잃을 때 발생하는 것으로 보았다. 신경증에 관한 학설에는 이상과 같은 여러 가지 입장이나 논리가 있지만, 어쨌든 환경 적응 이상은 환경에 대한 개체의 반응이며, 여기에는 환경적 요인이 주가 되느냐, 개체의 요인이 주가 되느냐에 따라 그 대응방법을 달리 하여야 한다고 하였다.

미국의 정신의학회에서 출간한 DSM VI(Diagnostic Statistical Manual of Mental Disorders)에는 정신장애의 종류와 증상의 특징을 규정해 놓고 있는데, 정신장애를 크게 세 가지로 분류하여 첫째는 성격장애, 둘째가 신경증, 그리고 가장 심한 셋째 경우를 정신분열증으로 구분해 놓았다. 이 중에서 신경증은 정신장애의 중간 정도의 증상으로 볼 수 있는데, 우리는 보통 육체의 건강에는 예민한 반응을 보이지만, 정신건강에는 무관심해서 증상이 나타나도 방치하는 바람에 정신분열증으로 발전한 사람들을 많이 보아왔다. 연령으로 볼 때 10대가 가장 위험한 상태이고, 20대도 위험하며, 30대 이상은 신경증에서 정신분열증으로 심화되는 속도가 느리다고 하였다.

DSM VI에는 신경증의 종류를 여러 가지로 분류해 놓았는데, 대충 열거하면 불안신경증, 우울신경증, 히스테리신경증(전환반응, 해리반응), 강박신경증, 공포신경증, 신경쇠약, 이인격신경증, 건강염려신경증, 비특기성신경증 등이다.

이밖에도 전쟁신경증, 외상신경증, 배상신경증, 일요신경증 등이 있는데, 어느 것이든 모두 신경증이 생기는 상황이나 개체에 따른 명칭이지, 특수한 신경증의 유형은 아니며, 위에 설명한 어느 하나의 형태에 속하는 것이다.

이러한 신경증의 증상을 느낄 때는 바로 부모님에게 말씀을 드려서, 적절한 조치를 취해야 하는데, 신경증이다 싶으면 가장 먼저 임상 심리전문가에게서 종합심리진단검사를 받아야 한다. 검사 결과를 통해 어떤 신경증인지, 증상의 상태가 어떠하며 바로 치료를 해야 할 정도인지 아닌지, 어떤 치료 방법이 좋은지, 치료를 한다면 기간은 얼마나 걸리는지 알 수 있다. 그리고 그 결과에 따라 정신과 전문의와 상담을 하고, 치료를 해야 한다면 적극적인 정신치료를 받아야 한다.

이러한 신경증을 앓고 있을 때 어떤 치료를 해야 하느냐가 큰 문제이다. 옛날에는 정신장애가 귀신이 씌워서 생기는 병이라 하여 귀신을 내쫓으면 병이 치료된다고 믿었기 때문에 치료방법으로 구타법(毆打法, 복숭아나무 가지로 팸)을 사용하거나, 호출법이라고 하여 굿을 하거나 제(祭)를 지내면서 귀신의 소원을 들어주는 행사를 벌리기도 하였다. 종교에서도 안수기도나 금식기도를 하는 행위는 현대과학이 첨단으로 발달한 현대에 와서까지 이어지고 있다. 이런 비상식적인 치료방법을 이용하는 것은 정신장애의 문제를 모르기 때문이고 정신건강에 관심이 없음을 보여주는 결과라 할 것이다.

　정신장애 치료에는 약물요법과 정신치료(심리치료), 예술요법, 최면요법, 충격요법(전기충격, 약물충격) 등 여러 가지가 있으나 약물 치료방법은 일시적인 효과를 볼 뿐이지 근본적인 완치가 어렵다. 과거에는 정신분석 방법을 주로 이용하였으나, 근래에 와서는 정신치료가 중심이 되고 있다.

　정신치료라는 말은 심리치료와 같은 말로 이해할 수 있는 것으로 상담(Counseling)을 통한 치료법인데, 환자와 치료하는 사람이 서로 마음을 열고 신뢰할 수 있는 상태에서 허심탄회하게 마음과 마음이 통하는 유무상통(Rapport)의 인간관계에서 상담하되, 칼 로저스(C. Rogers)가 주장한 대로 환자 중심의 비지시적 상담을 해야 한다.

　정신과 마음을 수양하는 유교의 도(道)를 닦아야 한다는 말도, 좌선(坐禪) 등 불교의 참선도, 요가와 같은 훈련도 일종의 정신치료에 해당할 것이다.

　약물 치료요법으로는 약을 복용함으로써 약효가 체내에 남아 있을 때 인체 각 기관에 작용하여 조절하거나 억제하는 효과가 있으며, 특히 자율신경계의 활동을 조절하기 위한 약을 가장 많이 치료에 이용하고 있는 실정이다. 이 약들은 약의 효과가 체내에 남아 있는 시간이 길어야 7~8시간밖에 되지 않아서 약효가 없어지면 다시 복용해야 하는 번거로움이 있고, 약물중독에 빠질 위험(危險)이 있다는 점을 알아야 한다.

"돈을 잃는 것은 조금 잃는 것이고, 명예를 잃는 것은 많이 잃는 것이며, 건강을 잃으면 몽땅 잃어버리는 것이다."라는 말이 있는데, 건강 중에서도 육체건강이 아니라, 정신건강을 잃으면 정말 몽땅 잃어버리는 것이다.

정신분석(Psychoanalysis)

정신분석이라는 학문의 중심은 프로이트(S. Freud)이다. 이 방법은 프로이트에 의하여 출발되었으며, 정신의학에서 정신과 환자들을 치료하여 완치시키기 위해 사용하였다. 지금의 상황은 전보다는 소원해진 치료 방법의 하나이지만, 학문으로 발전하여 심리학의 한 분야인 정신분석학파까지 존재하게 한 학문이고, 많은 연구와 저술을 낳게 하였다.

정신분석은 무의식의 탐구를 위한 것이었으나, 정신장애의 원인이 기능적인 것에서 발생한다고 믿는 학자들이 주장하는 것과 같이, 프로이트는 무의식에 좌절된 욕구들이 쌓여, 이 좌절된 욕구가 무의식에서 갈등을 일으키고, 좌절된 욕구를 성취시키기 위해 재(再)시도를 하려는 복잡한 현상을 일으키며, 정신력의 약화와 심적 갈등을 일으켜서 정신장애가 일어나는 것으로 생각하였다. 이렇게 무의식에 좌절된 욕구를 분석하여 해결함으로써 정신장애의 치료 효과를 본다고 하였다.

프로이트에 의하면 마음의 구조가 본능(ID), 자아(Ego), 초자아

(Super Ego)로 구성되어 있고, 이 본능은 쾌락의 원리(Pleasure Principle)에 의하여 생각하고 행동하도록 충동하고, 자아는 현실의 원리(Reality Principle)에 따라 항상 합리적인 생각과 행동을 하도록 충동질하며, 초자아는 도덕의 원리(Morality Principle)에 따라서 사람이 의식적으로 행한 행동이 도덕적 기준에서 벗어났는지 잘못되었는지를 확인하면서 양심에 그 책임을 묻기 때문에 양심의 가책을 느낀다고 하였다.

이런 3 가지의 마음의 구조 중에서 하나라도 힘을 잃어서 균형이 상실되면 심적 갈등과 함께 불안을 갖는다고 하였다. 서로 상대를 견제하지 못하는 경우나, 마음이 불안한 상태가 정신장애라고 하였다. 원래 본능은 쾌락의 원리를 추구하기에 항상 즐거우면 된다는 목적 지향적으로 활동하기에, 이런 본능에 좌절된 좋지 않은 욕구가 쌓이게 되면 점차 쾌락이 사라지고 침울한 상태가 되는 것이 정신장애라고 하였다. 그래서 정신분석은 이러한 불쾌한 것들이 가득차서 생기는 갈등과 불안이라는 정신장애의 요소들을 분석하여 해소함으로써 즐거운 마음을 되찾는 것이 곧 치료라고 보았다.

치료방법의 하나로서 정신분석은 어떤 것들이 있으며 어떻게 하는 것인가? 정신분석의 치료 방법으로는 자유연상법(Free association)과 꿈 분석(Interpretation of Dream), 최면분석(Hypnosis

Analysis) 등으로 분류하고 있다.

자유연상법은 환자를 편안하게 앉히고, 눈을 감겨서, 심 복식 호흡을 5회 정도 시킨 다음, 아무런 생각도 하지 말고 조용히 있으면 제일 먼저 떠오르는 생각을 말하라고 지시한 후, 떠오르는 생각을 말하면 그 생각에 대한 반응 상태가 불안한지 편안한지를 묻고, 그 원인이 무엇인지를 알아서 더 깊이 생각의 현황을 파악해 올라가는 분석방법으로, 먼저 떠오른 생각의 원인을 찾아내는 분석법이다.

꿈 분석 방법은 환자들이 꾼 꿈을 해석하고 분석하여 무의식에 어떤 문제가 있어서 정신장애 발생의 원인이 되었는지 파악하는 일이다. 꿈이라는 것은 모든 사람들이 모두 수면(睡眠) 상태에서 꿈을 꾸지만, 잠이 깨고 나면 지난밤 꾸었던 꿈을 기억하는 사람과, 전혀 기억하지 못하는 사람이 있는데, 전자는 정신건강이 좋지 못한 사람이고, 후자는 정신이 건강한 사람이다. 꿈 분석은 프로이트가 처음 정신분석의 방법으로 처음 시도하여 실시하였다. 이것은 심리학의 정신분석학파가 발생한 근거이기도 하며, 정신분석의 기초로 꿈을 분석하는 데 모든 연구를 집중하였다.

프로이트는 꿈이라는 것은 수면의 4단계(1, 4단계는 REM, 2, 3단계는 NREM) 중 REM 단계에서 꿈이 일어나고, 꿈의 소재도 지난 5일 내에 경험한 일이나 체험한 일들이 나타난다고 하였으며, 좌절된 욕구들이 무의식에 잠재해 있다가 재(再)실현을 위해서, 꿈이라는 현실로 나타나 성취를 시키기 위한 것이라고 보았다. 그래서 꿈의 해석을 하는 데 있어서도 심리학에서는 과거에 경험했던 사실로 보고 과거의 일로 해석을 하는 반면, 종교인들이나 무술인들 또는 철학관에서는 미래 예시적으로 해석하는 것이다. 흔히들 돼지꿈을 꾸면 횡재가 생긴다고는 하는 경우가 미래 예시적 해석으로 그렇게 믿었다가는 큰 코 다친다.

프로이트가 꿈 분석을 시도하는 의도는 분명하다. 정신장애의 근본적인 원인이 되는, 무의식에 가득 차 있는 좌절된 욕구들을 분석함으로써 정신장애 발생의 근본을 없애주는 데 있는것이고, 그런 원인과 사실을 환자가 이해함으로써 정신치료가 된다는 이유였다. 꿈 분석은 정신분석학파들의 모든 연구의 기본이 되었으며, 절대적인 정신치료의 방법으로 생각하고 이용하였던 사실도 부정할 수 없는 일이다.

최면 분석은 근간에 많이 이용하지만, 최면술 시술의 초기에는 안톤 메스멜이 창시한 방법으로 모든 질병을 치료하는 데 최면술을 이용하였을 때, 권위 있는 정신의학자들이 메스멜의 방법을 관찰해본 결과, 프로이트나 샬코, 라보엠 같은 사람들은 동물자기설을 뒤엎고, 최면은암시(Suggestion)라고 자기설을 반대하였다.

최면에도 여러 단계의 깊이가 있다. 최면을 시술하여서 분석을 하려면 적어도 전문적인 최면시술 기술과 임상적인 기술을 갖추고 있는 사람이어야 한다. 이 최면 분석 방법도 다른 정신분석 방법의 목적과 같이, 무의식에 있는 좌절된 욕구들을 찾아내서 분석함으로써 정신치료를 하고자 하는 데 있다.

최면 분석은 시술자가 피시술자를 최면의 깊은 상태인 심도나 몽유상태에 유도하여서, 현 나이에서 한 살씩 나이를 퇴행시켜, 적어도 2~3살로 퇴행을 시켜, 그 나이부터 무의식에 쌓여 있었던 불쾌하거나 즐거웠던 좌절된 욕구의 문제들을 현실과 같은 꿈으로 유도를 하여, 그 내용을 이야기하도록 하고, 기록을 한 다음, 각성한 상태에서 상담의 주제로 삼아 대화를 하고 문제되었던 사실을 이해시켜서 갈등을 해소하는 방법의 하나다.

이러한 정신분석 방법들은 아직까지도 이용을 하고 있는 실정이고, 사람이 태어나서 의식을 가지고 현실적응을 하면서 수많은 욕구좌절에 부딪치고, 불쾌한 경험들을 겪어온 상태이기 때문에 알지 못하는 무의식의 세계를 파헤치는 방법으로, 치료 효과를 얻기 위해 실시하는 정신의학의 치료 방법인 것이다.

정신장애라는 것은 유형의 대상이 아니라 정신이나 마음 같은 무형의 대상을 치료 목적에 사용하기 때문에 애로점이 많은 것도 사실이고, 또 많은 치료 방법들이 존재하는 것도 사실이다. 이러한 방법에는 민간요법의 약물요법, 종교의 안수법이나 주술요법, 무당의 푸닥거리, 정신의학의 정신치료, 좌선이나 명상법,

예술 요법 등 긍정적인 방법도 많은 것이다.

　이러한 모든 치료방법 중에서 과거에는 심지어 정신장애가 귀신이 씌워서 일어난다고 보았기에 구타법이나 호출방법까지 이용해 왔는데 효과가 없어서 사라진 지가 오래다. 그럼에도 오늘날까지 정신장애를 이런 미신적인 방법으로 굿을 하거나 제(祭)를 지냄으로써 치료하려는 사람들이 없는 것도 아니다.

열등감의 보상(Compensation of Inferiority)

　열등감이나 장단점은 사람이라면 누구에게나 있는 보편적인 사항이다. 재정적인 면에서, 외모나 체격적인 면에서, 학력이나 출신지, 신분이나 직업적인 면에서 상대와 비교하여 자신이 열악하다는 느낌을 갖는 것이 열등감이다. 현대를 살아가는 우리는 어느 기준에서 평가하느냐에 따라서 열등감이 깊은 마음의 상처나 정신적인 스트레스가 되는 것 또한 분명한 사실이다. 대부분의 사람들은 열등감을 느끼게 되면, 대체로 3가지로 반응을 보이는 것이 보통이다.

　첫째로는 내가 상대보다는 뒤진다고 생각하게 되면 위축되는 방향으로 전환한다. 이럴 때는 패배감에 빠져들고, 무기력해져서 자신이 무능하다는 생각으로 매사에 소극적이 되며, 그래서 건전한 경쟁 환경에서 뒤쳐지고, 적극성을 잃어버리는 경향이 되는 것이다. 열등감을 가지게 되면 중추신경계의 활동도 위축이 되어서 신체활동에 영향을 준다. 이런 상태가 되면 일을 해도 잘 안 되고, 해 보기도 전에 포기하기 일쑤이며, 자신감을 잃어버리거나 해볼 생각조차도 하지 않게 된다.

둘째로는 자신이 갖고 있는 열등감을 은폐하거나 감추려는 시도를 하며, 이를 부끄러움으로 여겨서, 남에게 공개되거나 알려지는 것을 꺼리기 때문에 사람을 만나면 안 그런 척, 심리적 합리화 기재를 사용하여 긴장된 상황을 벗어나려고 애를 쓴다.

사람들은 누구나 단점이나 열등감 같은 부정적인 측면의 문제를 노출시키기를 기피하며, 감추기 위해서 과장하거나 엉뚱하게 행동하기도 하며, 거짓말로 합리화시키기를 보편적으로 하게 되는 것이다.

셋째로는 자신이 갖고 있는 단점이나 열등감을 합리화시키기 위해 반동 형성을 일으켜서 본의 아닌 행동을 하게 된다. 이것이 과장일 뿐만 아니라 부풀려서 열등감을 숨기려는 방어기전을 이용하여 없는 것처럼 가면(假面)을 쓰는 것이다.

사실에 있어서 나에게 있는 열등감, 단점, 부족한 면들은 나 자신이 어떻게 처리하고 대하느냐에 따라서 정신이나 성격에 많은 변화를 가져오게 할 수 있고, 이런 것들은 나의 장래의 장애물이 아니라, 나를 지금의 상태보다 훨씬 높은 차원으로 발전시켜 주는 동기이자 안내자이며, 밑거름이 될 수 있다는 것이다.

이렇게 주장하는 학자가 정신분석학파의 알프레드 애들러(A. Adler)이다. 애들러는 열등감이나 단점을 어떻게 보상하느냐에 따라서 좋은 성공의 방향으로 나아가거나 나쁜 좌절의 벼랑으로 떨어질 수도 있다고 하였다.

우리 사회에서 어느 분야든 지존의 직위에 오른 성공한 사람들은 깊은 마음의 열등감을 긍정적인 방향으로 보상을 했기 때문에 그 위치에 오른 것이라 생각한다.

성공한 사람들 중에는 재정적으로 열등감을 가졌던 사람이 재벌이 되고, 박사학위를 가진 사람도 어렸을 때는 학업에 대해 남다른 열등감을 가졌던 사람이며, 기술 분야에서도 열등감을 가졌던 사람이 장인이 된다고 생각하였다.

그 예로 에들러는 데모스테네스를 예로 들었다. 데모스테네스는 세계인명대사전을 찾아보면 세계에서 제일가는 웅변가로 소개가 되어 있는데, 어렸을 때 그는 벙어리 같은 말더듬으로 고생을 하였다. 그가 어릴 때부터 말을 잘하는 달변가가 아니라 심한 말더듬이 장애자였다는 것이다. 심한 말더듬이로 고민도 많이 했고, 친구나 주변 사람들로부터는 조롱감이 되었으며, 친구들이 비꼬며 비하할 때는 땅 밑으로 꺼져 버리고 싶은 마음도 가지면서 심한 우울증에 빠지기도 하였다. 그러나 그는 책에서 "자신의 운명은 자신이 해결해 나가야 한다."는 내용을 읽고서는 굳게 결심하고서 그토록 자신을 괴롭히던 말더듬이와 전쟁을 한다는 마음으로, 수년 동안 온갖 고초와 어려움을 참아내면서 자신이 말할 때의 상태를 철저히 분석하여 몇 가지의 문제점을 발견하고, 호흡의 문제, 입 모양의 문제 등 말할 때의 문제들을 하나씩 해결해 나가면서 말을 더듬는 습관을 보상해 나갔다고 한다. 당연히 그 기간은 하루 이틀이 아니라 수년이 걸렸고, 밤과 낮을 가리지 않으며 노력하여 말더듬을 완벽하게 해결하였다고 한다. 그렇게 하고 난 후에 자신의 말 상태가 남보다 우렁차고 박력 있고, 분명하게 청중을 사로잡는 웅변가가 된 것을 깨달았다고 한다.

마케도니아 전쟁 때 영국 왕 필립이 "그리스 군대 몇 십만은 두려울 것이 없으나, 데모스테네스의 세 치 혀가 두려울 따름이다."라고 하였다니, 얼마나 데모스테네스가 훌륭한 웅변가였는지 짐작 할 수 있는데, 이런 결과를 얻은 것은 말을 더듬는 습관을 보상한 결과가 아닐까 한다. 이러한 결과를 볼 때, 데모스테네스가 지금까지 세계인명대사전에 세계에서 제일가는 웅변가로 올라 있는 것은, 열등감 보상의 결과임에 분명하다. 미국의 대통령이었던 테오도르 루즈벨트(Theodore Roosevelt)rk 병약했던 자신의 육체적 약점을 딛고 대통령이라는 자리에 오른 것도 열등감 보상 때문이라고, 에들러는 그의 〈신체기관의 열등감〉이라는 논문에서 밝히고 있다.

이렇게 볼 때 나에게 있는 단점이나 열등감은 자신의 앞길을 막는 장애물이 아니라 자신을 개발시키고, 지금보다 더 높은 사람으로, 또는 엄청난 성공으로 이끌어 주는 안내자요, 동기가 되는 것이 아닌가? 감추거나 부끄러워해야 할 일은 더욱 아니라고 생각한다.

우리는 자신의 결점이나 열등감을 공개하는 사람에게 감정적으로 대하고 원수같이 생각하면서, 감정을 앞세워 적개심을 품거나 기분 나쁘게 생각하여 언쟁을 하거나 물리적 싸움을 한 적이 한두 번이 아닐 것이다. 열등감 보상을 생각할 때는 나에게 약점이나 단점을 말하는 사람을 극진히 대접해야 할 것이 아닌가?

나를 아끼고 사랑하지 않으면 무엇 때문에 마음 상하는 말을 나에게 해줄까를 생각하고 감사하게 생각함이 마땅할 것이다. 현대그룹 정주영 회장도, 강원도 통천의 깊은 산골에 살 때, 어린 시절에는 돈에 대한 열등감이 얼마나 컸기에, 그 열등감을 보상해서 대재벌이 되었지 않나 생각한다. 하면 된다. 안 하면 안 된다. 안 되는 것은 스스로 아니 하기 때문이다.

정신위생(mental hygiene)

　복잡한 사회에서 살아가는 현대인들은 과거의 어느 시대보다도 모든 면에서 불안정하고 긴장된 정신 상태에서 생활하고 있는 셈이다. 정신위생이란 말은 정상인으로 하여금 불안정하고 긴장된 생활에서보다 건전하고 안전한 생활 속에서 합리적이고 능률적으로 자기가 맡은 일과 자신에게 부닥친 문제들을 해결해 나가면서, 행동과 정신 상태를 조절하여 정신건강을 유지하도록 여러 가지 방법과 방향으로 문제 해결을 돕는 응용심리학의 한 분야라 할 수 있다.

　그래서 행동과 정신활동의 적응 장애에 대하여 그 원인과 내용을 학문적으로 살피는 데만 국한하지 않고, 정신건강 유지를 위해 취해야 하는 모든 조치들을 포함하여 정신장애가 불건전한 방향으로 발전해 나갈 위험성이 있는 사람들을 미리 발견하여 정신장애를 예방하고, 정신장애를 가진 사람들이라도 적극적인 치료하도록 도움을 주기 위한 예방과 치료의 두 가지 목표를 가진 분야로 보아야 할 것이다.

정신위생이란 말이 학문적으로 발전하게 된 계기가 된 것은, 1909년 미국의 정신과 의사였던 비어즈(Beers C. W)가 정신장애를 일으켜서 약 3년간 정신과에 입원하여 치료한 다음, 그 간의 경험을 『A mind that found itself』라는 책으로 세상에 선보인 것이 계기가 되었다. 그가 주장한 대로 "정신이상이라 할지라도 인도주의 입장에서 환자들을 대해야 하며, 정신병원의 시설이나 환자 치료의 조건들을 개선해야 한다."는 데서 영향을 받아 정신위생협회(connecticut society for mental hygiene)가 설립되었다. 이 협회의 목적도 "정신건강을 위해서 일하며, 정신장애나 정신적 결함을 위해서 일하며, 환자의 보호를 위한 기준 향상을 추진하며, 연방과 지방의 긴밀한 협조를 해야 한다."로 되어 있다.

워싱턴에서 국제정신위생위원회(international committee for mental hygiene)가 결성된 것은 1930년으로 정신위생은 정신의학계뿐만 아니라, 각계각층의 관심을 끌게 되었다. 우리나라에서는 1950년 이후 중요성이 급속히 반영이 되어서 정신의학계나 심리학회에서도 중요한 분야로 인정을 하고 있다.

물질문명의 발달은 인간의 생활수준을 높여 주었지만, 마음이나 정신건강은 날이 갈수록 누적된 짐만 쌓이고, 정신건강을 유지하기가 매우 어려운 많은 요소들이 사람들을 위협하고 있는 실정이다. 정신건강을 유지하는 데 수많은 적신호들이 있음에도 불구하고, 정신위생을 강조하여서 이를 실천하는 사람들은 거의 없다고 봐야 하는 처지라 생각한다. 육체건강을 위한 보건위생은 지나칠 정도의 관심과 신경을 쓰면서도 정신위생에는 무관심으로 일관하는 사람들이 더 큰 문제일 터이다.

정신위생은 크게 두 가지로 구분할 수 있다. 그 하나는 적극적 정신위생이고, 다른 하나는 소극적 정신위생이다. 전자인 적극적 정신위생은 정신장애에 걸리지 않기 위해서 자기 스스로 미리 예방을 하는 생활을 철저히 실천해서 정신건강이 유지되도록 노력하는 일이고, 후자인 소극적 정신위생은 장애가 발생하고 난 다음에는 자신을 아무리 적극적으로 치료하여 극복을 한다고 하여도 그 자체는 소극적 정신위생이 되는 것이다.

우리는 보건위생을 잘해서 육체건강을 유지하려고 많은 노력을 하고 있다. 육체의 질병에 걸리지 않기 위해 예방주사를 맞고, 신체의 건강유지를 위한 적절한 영양섭취나 적절한 운동, 환경의 청결유지, 소독 등을 철저히 하는 것이다.

그런데 정신위생을 잘하려면 어떤 일을 해야 하는가? 한 마디로 말하자면 정신건강 유지를 위한 노력 자체가 곧 정신위생이 된다고 이야기할 수 있다. 정신건강 유지가 곧 정신위생이라면 어떤 일을 하는 것이 좋을까?

*육체건강 유지가 되는 일이다. 육체건강을 위해서는 지나칠

정도의 관심을 갖고 있어서 두말할 필요는 없으나, 적절한 영양 섭취와 더불어 적절한 운동, 환경의 청결, 예방주사나 식사대용의 건강식품 과잉섭취 금지 등을 하는 것이다.

*현실적 욕구 수준을 유지해야 한다. 인간의 욕구에는 생리적 욕구와 사회적 욕구가 있는데, 사회적 욕구의 좌절이 마음의 갈등의 원인이 되고 정신력을 약화시키는 근본 요인으로 보기 때문에 자신에게 맞거나 자신의 형편과 수준에 적절한 욕구를 가져야 한다는 점이다.

* 친밀한 대인관계를 유지하는 일이 중요하다. 사람은 홀로 살아갈 수가 없는 법이다. 더불어 살아가면서 협동하고 협조하며 공동체의 일원으로 살아가야 하는 것이므로 대인관계의 친밀성이 매우 필요한 것이다.

* 적절한 감정과 정서적인 표현을 해야 한다. 감정이나 정서적 표현을 하지 않고 억압을 하게 되면 그것이 시한폭탄이 되어서 정신장애를 일으키는 원인이 된다. 속 시원하게 표현하는 것도 좋으나, 분위기나 환경을 보아가면서 우회적으로라도 적절하게 표현하는 것이 좋다.

* 취미생활을 통해서 여유 시간을 적절하게 보내는 일이다. 다양한 취미생활을 하는 것은 정서적·정신적 만족을 가져다주는 일이기에 건강유지에는 필수적이다.

  그러나 한 가지 일에만 고착이 되는 중독증은 장애를 유발하는 일이 되기 때문에 주의해야 한다.

  * 다양한 사회봉사활동에 참여하는 것이 좋다. 남을 도와주거나 나의 작은 마음 씀씀이가 남을 즐겁게 해주었다는 사실은 자신의 만족으로부터 쾌락을 얻는 명약이다. 그리고 다양한 사람들과 접촉할 수 있는 기회를 얻을 수 있고 대인관계의 범위가 넓어지는 것이다.

  * 자기 인생을 자기가 살아가야 한다는 점이다. 항상 자신이 한 일에 책임을 지고, 남에게 부탁이나 짐이 되는 사람이 아니라, 독자적으로도 살아가는 독립심과 자립심을 가지고 의존적인 사람이 되지 말라는 것이다.

  * 초월적인 힘에 의존하는 종교를 가지는 일이다. 종교는 인간을 비이성적으로 좌지우지하는 일도 많지만, 인간들의 능력의 한계에 부딪쳤을 때 무한한 재기의 힘을 주는 영약이 되기도 하고, 인간의 약한 정신력을 키워주는 원동력이 되기 때문에 신앙

을 가지는 일도 정신건강을 유지하는 데는 크게 도움이 된다.

　이상의 몇 가지 일들을 실천하면서 남을 존경하고, 제약에 대한 이해심을 바탕으로 인간관계가 매우 중요함을 잊지 말며, 자신을 매일 삼성오신(三省五信) 되돌아보면서, 얻으려는 마음 보다는 베푸는 마음으로 살아가면서 나의 책임과 의무를 철저히 해나간다면, 그 생활 자체로도 정신위생을 유지하고도 남을 것이다. 사람이 직업을 잃는 것은 조금 잃는 것이고, 재물을 잃으면 많이 잃는 것이며, 건강을 잃으면 몽땅 잃어버리는 것입니다. 건강 중에서도 특히 정신건강을 잃으면 정말 모두 잃어버리는 것임을 잊지 말아야 합니다.

자율신경실조증

　자율신경실조증이란 말은 일반적으로 자주 사용하는 보편적인 말인데, 이 개념을 이해하기 위해서는 자율신경이란 어떤 것인지 알아둘 필요가 있다. 인간의 신경계는 크게 뇌와 척수를 합한 중추신경계와 운동신경계, 지각신경계, 자율신경계 등을 합한 말초신경계로 대별할 수 있다. 여기서 문제라고 볼 수 있는 것은 운동신경계와 자율신경계이다. 자기 자신의 의도에 따라 움직일 수 있는 신경, 즉 신체 부분은 의외로 적은 부분에 해당하고, 더 많은 신체부위가 자율신경계의 활동으로, 자신의 의지나 의식의 유무와 상관없이 생체가 일정하게 안정된 균형을 잡기 위해 자율신경계가 자율적으로 기능하고 조절되는 현상이기 때문이다.

　자율신경은 교감신경계와 부교감신경계로 구성되며, 상반된 작용, 즉 길항작용을 한다. 교감신경은 척수를 나온 후 일단 여러 개의 교감신경절이라고 호칭되는 중간 역에 들어가서 심장, 호흡기, 소화기, 비뇨기, 생식기 등 내장기관과 내분비선, 찬선 등에 광범위하게 분포되어 있다. 교감신경의 활동은 동공을 확

대하고, 심장을 뛰게 하고, 혈압 상승, 항문 수축, 모근 긴장을 시켜서 새 피부처럼 되게 한다.

부교감신경의 활동도, 두부와 선골에서 척수를 나와 신경절을 거치지 않고 각 내장 여러 기관과 혈관 벽, 내분비선, 교감신경이 퍼져 있는 여러 기관에 분포되어 활동을 하는데, 교감신경과는 정반대의 역할을 담당하는 것으로 알려져 있다. 동공의 축소, 심장 박동이 느려지고, 호흡기가 이완되며, 혈압 강하를 유도하고, 위장의 작동과 생식기의 충혈을 증가시켜서 생식기의 발기를 쉽게 하고, 심신이 평안하게 유지되도록 활동하는 것이다.

그런데 왜 이런 자율신경실조증이 일어나는 것일까? 여러 가지가 논의된 바 있으나, 실조증이 발생하는 가장 큰 원인으로는 오랫동안 지속되어온 정신적 스트레스가 주범으로 단정된다고 학자들은 주장하고 있다.

해부학적으로 자율신경의 중추는 간뇌의 한 부분인 시상하부에 위치하여, 이 부분에 접하는 주변에는 인간의 정서적 동기와 밀접한 관계가 있는 대뇌변연계라는 신경조직체가 존재하는데, 상부에 위치하는 대뇌피질의 영향을 쉴 새 없이 받고 있어서 자율신경은 우리의 이성이나 인식보다는 무의식적인 정서적 동기에 영향을 아주 강하게 받음으로써 우리가 매일매일 정신적인 고통과 더불어 살아가다가 보면 어느 사이에 자율신경의 긴장 밸런스가 깨지고, 실조로 인해 신체의 여러 기관에 기능 장애가 초래되며, 이에 해당하는 신체적 증상을 일으키게 되는 것이다.

현대의 복잡하고 경쟁적인 현실 환경에서부터 고부간의 갈등이나 개인적인 고민, 욕구의 좌절, 직장 상사와의 갈등과 같은 이유 때문에 인간관계의 친밀한 유지가 어려워지고, 일에 시달리다가 보면 수없는 스트레스에 접하게 되어서 자율신경의 밸런스가 깨지는 것이 실조증이라고 할 수 있다.

이런 실조증이 발생하게 되면 위궤양, 신경성 고혈압, 두통, 관절통, 피부질환, 탈모증, 현기증, 소화불량 등 여러 가지의 증상이 따른다. 이런 증상이 나타날 때 일반 병원을 찾으면 진단 결과로 신경성이라는 말을 듣게 되는 것이다. 이러한 실조증 현상이 나타나면, 이것이 자율신경실조증인지 알아보기 위해서는 물리화학적, 임상심리학적, 사회적인 전문가의 견지에서 검사하고 진단을 받아야 한다.

검사결과에 의해서 나타나는 자율신경실조증의 종류로는 본태성, 심신형, 신경증적인 자율신경실조증으로 분류하지만, 실질적인 의미는 없으며, 학자들에 따라서 찬반이 많고, 견해를 달리하는 경우가 많은 것도 사실이다.

이런 자율신경실조증은 어떻게 치료를 하는가? 주로 이런 증상을 치료하는 전문가는 정신과전문의나 임상 심리전문가이며, 수용, 지지, 보장의 3가지 요소에 따라 치료를 한다.

수용이라는 것은 환자의 호소를 비판 없이 받아들여서 깊은 관심과 흥미를 가지고 동정적인 마음으로 정신치료를 하는 것이고, 지지라는 것은 환자들에게 정신과에서 치유될 수 있다는 소신을 심어 주어서 이를 강조하는 전문의의 인격적, 직업적, 권위적 면을 격려해주는 일이고, 보장이라는 것은 환자의 증상과 병태의 형성이나 발전과정에 대해 성실한 인간관계를 유지하는 가운데 과학적 논리와 심리학적 논리로 환자에게 알기 쉽게 설명해주어서 환자 자신에게도 치료할 수 있다는 잠재적 신뢰를 보장해주는 것을 의미한다.

약물요법도 병행할 수 있다. 증상에 따라서 우울증이 심할 때는 항울제(抗鬱劑)도 첨가되며, 정신치료를 주로 하게 되지만, 최면 시술이나 독일의 슐츠 박사가 제정한 '자율신경 정신통일훈련(AT)'도 이용하는 전문의들이 많다.

정신의학에 사용하는 약물이라는 것은 모두가 이 자율신경계의 교감신경계와 부교감신경계를 조종하는 데 효과를 보는 약물이다. 슐츠 박사는 자율신경의 밸런스가 깨져서 정신장애가 발생한다고 믿기 때문에 약물의 복용으로는 근본적인 치료가 되지 않음을 알고, 정신적으로 이를 조절하는 방법을 연구 하다가, 이 자율신경정신통일 훈련을 만든 것이라고 한다.

신경쇠약(Neurasthenia)

　신경쇠약이라는 말은 1894년 Beard가 처음으로 사용한 후, 우리나라에서는 현재까지 병의원에서 흔하게 쓰는 말로 정신장애를 의미하고, 주로 육체적인 증상에 이상이 없이 증상이 나타날 때 신경성과 같이 쓰는 말이다.

　일반 대중들은 아직도 정신장애를 통 털어서 신경쇠약이라고 하거나, 신경증으로 표현하는 경향이 많다.

　전문의들은 흔히 환자들이나 그 가족들과 대화를 할 때, 충격적이고 위험한 문제가 아니라는 의미로 사용하는 편리한 용어의 진단명이라고도 할 수 있다.

　그러나 이와 혼동하기 쉬운 증상들로는 조울병을 포함한 모든 우울증, 초기 정신분열증, 신경매독, 비타민B 결핍증, 수동적 정신병자, 히스테리, 불안증, 정신신체장애 등이 있고, 이 중에서도 우울증이 제일 많으며, 이때 우울증은 우울신경증의 상태를 말하지만, 가면을 쓴 우울증(masked depression)이나 우울동등증(depression equivalent)을 말하기도 한다.

전형적인 신경쇠약의 증상으로는 신체의 피로, 성기능 장애, 월경불순, 조바심, 신경과민증상, 신체 여러 부위의 증상을 호소하거나 이상을 호소하는 경향이 많다. 이런 증상을 가진 환자들이 과로나 신체적인 피로보다는 정신적 장애가 원인이 되어 나타나는 증상들이다.

　발병의 원인으로는 어려서부터 부모로부터 사랑을 받지 못하고, 커서도 자신의 욕구가 좌절되거나, 실망, 실의 등 실패의 경험에 의하여, 심리적 갈등을 겪고 자신의 삶의 단조로움이나 권태의 반응으로 나타나는 것이다.

　신경쇠약을 가진 환자들의 신체는 세잔형의 몸매를 갖고 있으며, 흔히 몸이 약하다는 말을 자주 듣는 사람들이 대부분이다. 그리고 이런 사람들은 자신의 육체에 대해 예민하게 신경을 쓰는 경향이 많아서 항상 자신의 육체에 대해 염려하는 건강염려증(hyperchondriasis)인 사람들이 신경쇠약증을 앓는 사람으로 인식되고 있다.

　신경쇠약의 치료는 신체 여러 부위에 통증을 호소하는 경향이라서, 처음에는 주로 내과를 찾거나 증상이 있는 부위에 해당하는 의원을 찾는 경향이 많다.

　그래서 의원에서 처방한 약물을 복용해도 효과가 없다고 호소를 하면 전문의들은 신경성이라고만 둘러대면서, 정신과 전문의를 찾아가라고 말하는 의사들은 드문 현실이다. 그래서 많은 시간을 낭비한 후 이런 증상이 정신적인 문제에서 발병한 사실을 안 연후에 정신과를 찾아왔을 때는 이미 증상이 심화된 중증의 정신장애로 발전된 경향이 흔하다.

신경쇠약은 정신장애 중 신경증에 해당하며, 임상 심리전문가에게서 종합심리진단검사를 받아본 다음, 검사 결과를 가지고 정신과 전문의와 상담을 하고, 정신치료를 받아야만 완전한 치료가 된다.

공황장애(panic disorder)

공황장애라는 말은 신경증을 광범위로 이야기할 때 사용하는 말이지만, '노이로제'의 일종으로 보면 무리는 없을 듯하다. 이런 증상은 갑작스럽게 나타나는 특징이 있다.

증상으로는 숨 쉬기가 어렵고, 갑자기 힘들고, 심장이 많이 뛰며 두근거리고, 가슴에 갑자기 통증을 느끼며, 숨이 막히는 듯하고, 어지러움이 찾아오며, 땀을 많이 흘리고, 강한 두려움이 느껴지며, 운명적인 일이 일어날 것 같아서 안절부절 못하고, 갑작스럽게 절박한 심리상태에 빠지는 듯싶은 상태가 공황장애의 특징적인 증상들이다.

이런 증상들이 갑작스럽게 나타나기에 통제력을 상실하거나, 미치게 되거나, 심지어는 죽지 않을까 하는 두려움마저 엄습한다. 이런 증상들은 주 1회 일어나기도 하고, 증상이 나타나면 통상 몇 십분 간 지속이 되기도 하며, 몇 시간 동안 계속되기도 하는 것이다.

이런 상태를 공황발작이라고 하는데, 어떤 돌발적인 상황이 갑

자기 닥쳤을 때의 반응으로 나타나서 마음의 안정을 잃어버린
다. 남성의 경우는 0.9%, 여성의 경우는 1%에 이른다고 한다.

정상적인 상태의 사람들이라도 증상이 나타날 수 있으며,
1985년 Norton의 연구결과에서는 대학생들의 30% 이상이 공황
발작을 겪는다고 하였다. DSM VI에서는 기준만큼 자주는 아니
지만, 3주 동안에 3~4회의 발작이 일어날 수도 있다고 하였다.

이 공황장애의 원인은 신경증의 발병 원인에 근거한다고도 하
고, 주로 가계를 따라서 전달되는 증상이라는 사실을 1983년
Crowe가 연구한 결과에서 밝혔다. 주로 이란성 쌍생아보다는
일란성 쌍생아에게서 발작할 확률이 더 높다고 Torgersen이 주
장하였다. 그렇기 때문에 공황발작은 환경적 요인보다는 생리학
적인 원인에서 발병한다는 것이 정론이 되었다.

구체적인 면에서는 심장의 기능장애인 승모판 탈출(mitral valve
prolapse. MVP) 증후군으로 인한 증상이 공황발작의 증후군과 비
슷하다고 한다. 심장 박동의 증가가 곧 공황발작이라고 주장하는
Kantor, Zitrin(1980)도 있다. 다른 생리학적 원인은 베타 아드
레날린성(B- adrenergic) 신경계통에서 과잉활동을 공황장애라고
연관을 짓고 있다.

공황장애를 치료하는 방법으로는 정신치료보다는, 약물치료가
더 효과적이라는 것이 분명하고, 주로 베타 제지제(B-blockkers)
가 사용되며, 또 benzodigzepine도 효과가 있다는 보고가 있다.

이에 더하여 항울제도 효과가 있음이 알려졌다.

공황장애는 공포신경증과 흡사한 증상으로 볼 수도 있으나, 공포신경증은 공포의 대상을 만났을 때 두려움을 느껴서 증상이 나타나는 현상을 심리학적 측면에서 적응기재의 활동현상이라고 볼 수 있는 데 비해, 공황장애는 생리학적 요인에서 증상이 갑자기 나타나는 현상으로서 서로 다르기 때문에 공포신경증은 심리치료를 하는 것이 효과적이고, 공황장애는 약물치료가 더 효과적이라고 할 수 있다.

불안신경증(Anxiety Neurosis)

불안신경증(노이로제)은 여러 신경증 중에서도 가장 흔하게 증상을 호소하는 정신장애로 이런 불안신경증을 가지고 있는 사람들은 처음에 일반 의사들에게 먼저 찾아가서 신체의 이런 증상을 호소하는 경향이 매우 많다.

정신의학적으로는 마음의 구성요소인 의식적인 면의 자아(Ego)와 도덕적 원리에 따라 사람의 마음을 움직이게 하는 초자아(Super Ego), 본능적인 쾌락의 원리를 추구하도록 정신력을 발동하는 이드(ID) 등이 균형을 잡지 못하여 심리적 갈등을 겪는 바람에, 정신력이 약화되어서 정상적인 언행이 적응 환경에서 일어나지 않아 문제가 되고, 사회 환경에 적응할 때 좌절된 욕구가 무의식에 쌓여서 갈등을 일으켜 나타나는 현상으로 신경증이나 성격장애, 정신분열증의 원인이 된다고 믿고 있는 실정이다.

불안신경증의 증상으로는 늘 걱정을 하고, 만사에 불안하고, 항상 긴장하며, 두려움과 겁이 많고, 회의적이고, 우유부단한 성격이라서 항상 마음이 앞서고, 돌다리도 두들겨 가며 걸어가는 꼼꼼함을 가지고 있으며, 또 불안한 성격(amxieous personality) 사람들에게 잘 발생하는 경향이 있다.

불안한 성격의 사람들은 특히 남의 일이나 의견에 지나칠 정도로 신경을 쓰고, 실수라도 하지 않을까 싶어서 항상 긴장하고 있는 상태이며, 항상 최악의 상태를 생각하고, 지나치게 양심적이며, 야심이 강하고, 자기가 생각하는 수준에서 살아야 한다고 생각하지만, 현실이 그에 미치지 못하는 것을 보고는 불안을 느끼거나 열등감을 가지는 특성을 가지고 있다.

이런 특성을 가졌기에 쉽게 불안신경증에 걸리고, 불안신경증 환자가 되면 항상 불안하고, 긴장, 염려, 초조감에 싸여 있어서 남이 보기에 극성스럽다든지, 불안스럽다든지, 갈팡질팡하여 야단스럽다는 말을 듣게 되는 것이다.

이들은 자중(自重)을 하지 못하고, 마음이 들떠 있어서 잘 잊어버리는 건망증을 보이며, 항상 피로를 호소하고, 잠들기가 어려우며, 잠을 자도 꿈을 꾸는데 주로 악몽을 꾸게 되어 더욱 불안을 느끼는 것이다.

이러한 불안은 근거도 없이, 까닭도 없이, 대상과 원인도 없이 막연하게 느끼는 불안인데, 이런 불안(free floating anxiety)을 신경증적인 불안이라고 한다.

늘 이런 불안이 겹쳐서 오게 되면, "미쳐 버리지나 않을까?" 하는 정신적인 공포가 일어나고, 신체적으로 여러 가지의 증상들이 나타나며 심기증에서 나타나는 증상과 비슷하여 신체 부위에 이상이 있을까 보아 더욱 불안을 느끼게 된다.

실제로 숨이 가쁘고, 가슴이 뛰고, 정신적으로도 몽롱한 상태가 되는 증상이 나타나서 병원을 찾는데, 정신과보다는 일반 의원이나 의사들에게 가서 증상을 호소하는 경향이 많다.

불안신경증의 증상은 정신적인 증상과 신체적인 증상의 두 가지 형태로 나타난다.

신체적 증상은 심장이 뛰거나 숨이 가쁘고, 식은땀, 위장의 장애로 인한 소화불량, 설사, 변비, 근육의 마비현상, 경련, 이명, 피로와 통증을 호소하는 경우다.

정신적인 증상으로는 불안 발작 증세를 일으키고, 어지러움, 현기증, 졸도, 망각 현상, 혼미한 정신상태 등이 나타난다. 이는 모두 자율신경계의 지나친 활동으로 인하여 일어난다는 의학적 보고가 있다.

이러한 불안신경증을 앓고 있으면 우선적으로 이런 불안 상태의 증상이 어느 정도인지 파악하는 일이 급선무다. 그러기 위해서 임상 심리전문가에게서 종합심리진단검사를 받아 보고 그 결과를 가지고 정신과 의원을 찾아가서 전문의와 상담한 후에 치료 계획을 세워서 적극적인 치료를 하여야 한다.

이런 불안 증상을 느끼는 정신과 환자들은 주로 병원에서 약물

(안정제, 진정제) 처방을 받고 약을 복용하지만, 불안증이 심한 사람들에게는 약물의 효과가 그리 좋지 않기 때문에 정신치료를 제대로 받아야만 안전한 치료가 이루어질 수 있다.

　필자가 지은 『정신건강을 위한 심리치료』라는 책을 참고하시면 좋은 정보를 얻을 수 있을 것이다.

동성애(同性愛. homosexuality)

　동성애라는 말은 이성(異性)을 성 욕구의 대상으로 삼기보다는, 같은 동성에게 더 매력을 느껴서 욕구를 충족시키는 사람을 말한다. 이들은 정신적인 장애인으로 보아야 하고, 성격장애 중에서도 성 도착증에 해당하는 증상으로 본다. 이런 증상을 가진 사람들이 얼마나 많은지는 잘 알 수 없으나, 서양에서는 상당하고, 한국에서도 제법 동성애자들이 많다고 보아야 한다.

　성(性)에 대한 철저한 연구를 했던, 미국의 킨제이(Kinsey) 보고서에 따르면 백인 남성의 4%가 사춘기 이후부터 전 생애를 전적으로 동성애자로 보낸다고 한다. 백인 남성 10%가 16세부터 65세 사이에 최소한 3년간은 동성애자였으며, 전 남성 인구의 37%가 사춘기와 노령기 사이에 흥분의 절정(orgasm)에 이르는 명백한 동성애적 경험이 있었다고 한다.

　이런 동성애가 발생하는 원인에 대해 프로이트(S. Freud)는 그의 성 발달 이론에서 5단계 중 3단계인 남근기(phallic stage), 나이로는 3~4세 때 발생한다고 한다. 이 단계의 남자 아이는 무조건 어머니를 따르고 좋아하는데, 나중에 어머니의 임자가 아버지라는 사실을 깨닫고부터는 아버지가 자신의 고추를 잘라 버리지나 않을까 하는 거세불안(castration fear)이 일어나서, 6세 가까이 되어서 아버지에게로 돌아가 동일시하여 성장하는 것을, 오이디프스 콤플렉스(Oedupus complex)라 하는데, 이를 겪고 나서 아버지와 동일시하여 성장할 때 남성의 구실을 잘하는데 돌아갈 아버지가 없을 때, 어머니에게 고착이 되어, 성숙하면 자신을 여성으로 착각하여 성욕구의 대상을 고를 때 남성을 고르기 때문에 동성애가 된다는 이론을 내놓았다.

또 여자 아이의 경우도 이 나이가 되면, 아버지를 무조건 좋아하고 따르면 밀착하여 생활하기를 좋아하는 일렉트라 콤플렉스(electra complex)과정을 겪는데, 이때 여자 아이는 자신도 아버지처럼 고추가 있었는데, 누가 내 고추를 따 갔다는 공허의 불안(penis envey)을 겪고 난 후 어머니에게 돌아가 동일시하면서 성장할 때, 여성다움을 갖게 되고, 이성과의 대인관계가 원만해 지지만, 돌아갈 어머니가 안 계시면 아버지에게 고착이 되어 성숙하면 자신을 남성으로 착각하여 성 욕구의 대상으로 여성을 택하는 동성애가 발생한다고 한다. 이 단계에서 동일시하여 성장하다가 나이가 들면서 동일시하던 상대로부터 콤플렉스를 겪게 되어 방향을 바꾼다고 하는 이론이다.

현대에 와서는 동성애가 사회 각계각층의 남녀 모두에서 볼 수 있으며, 그 수가 늘어나는 경향을 보이고 있다. 대부분의 동성애자들은 정서발달이 원만하지 못한 상태로 성숙되어서 성의 대상을 이성이 아닌 동성에 고착된 기이한 현상을 나타내는 것으로. 정상적인 이성간의 성관계가 어색하거나 애로를 느끼며 생활하는 이들이다.

　이런 비뚤어진 성향을 보이는 심리적 역동성이 민감성을 보이며, 예술적인 면에 심취하여 두각을 나타내기도 하고, 다른 특별한 행동에 좋은 면으로도 나타난다. 다른 사람들은 성 불능자이거나 불감증의 사람들이 이런 현상을 나타낸다고 한다. 중국의 쿨리(苦力)들 같이 경제적인 이유 때문에 결혼을 하지 못하는 사람도 있고, 서양처럼 집에서나 주변에서 결혼을 서두르지 않고, 본인에게 맡겨서 결혼을 하지 못하는 노총각·노처녀들도 성에 대한 알력이 사회적·문화적 또는 어떤 직업적 방향으로 승화될 수도 있다고 한다.

　동성애가 많은 영국, 프랑스, 미국, 베네룩스 3국, 스칸디나비아 등에서는 성인간의 동성애 행위가 위법이거나 처벌되는 행위가 아니라, 용인하고 법적으로 보호를 받으며, 사람들도 용인을 하는 의식을 갖고 있다. 동성애적인 잘못된 충동성이 정반대의 반동 형성으로 체육이나 예술 계통에서 뛰어난 재능을 발휘하는 사람들도 많은 것은 사실이다.

모든 음식에 간이 들어가야 제 맛을 내듯이, 사람도 남성이든 여성이든 태어난 이상은 이성과 한 가정을 이루고 자녀를 생산하여, 가정과 사회, 더 나아가서는 국가에 득을 주는 것이 바람직한 일일 것이다. 근간의 법원에서 성전환 트랜스젠더들에게도 성과 이름 변경을 허락한 사례로 보아서 법적으로 인정하는 경향인 만큼, 동성애자들도 이와 같은 대우를 받는 것이 당연하다고 할 것이다. 우리나라도 동성애자들을 무작정 냉정하게만 볼 것이 아니라, 서구의 선진국처럼 그런 법적 조치와 태도, 의식을 가지고 대해 주어야 할 것으로 생각한다.

사이코패스(psychopath)

　근간에 많이 사용되는 사이코페스라는 말은 정신장애의 일종으로 성격장애에 해당하는 말이기도 하다. 냉담하고 충동적이며, 자기중심적이고, 무책임하며, 이기적인 면이 강한 성격이다. 자신의 행동의 결과가 타인에게 미치는 피해가 어떻게 되는지도 이해하지 못하고 생활하는 사람이다.

　대인관계에서도 감정적·사교적 교감은 거의 없으며, 피상적으로 대하고, 자신의 욕구나 소원을 이루기 위해서 집착적인 행동을 강하게 나타내는 사람이다.

　이런 증상은 정신장애로 보면 틀린 말은 아닐 것이고, 이들의 성격상의 특징은 자기중심적이고, 강박적 사고와 행동이 흔하게 일어나며, 냉담하고 묵비권의 태도를 나타내고, 동정심이라고는 찾아볼 수 없으며, 항상 정서적 불안을 갖고 있을 뿐 아니라 양심의 가책을 느끼지 못하는 둔감에 젖어 있으며, 인식능력이 부족한 면이 있고, 현실감각에서 상황판단을 자기중심적인 욕구충족을 위해서 행동화를 결정하고 행하는 사람들이다.

또 달변가(達辯家)라는 소리를 들을 정도로 말을 잘하고, 충동적이라서 행동의 형태가 극과 극으로 나타나며, 항상 자기만족을 위해 행동하고, 지나치게 과장하거나 사실을 왜곡하는 못된 습관을 가지고 있으며, 감정과 정서의 표현도 지나칠 정도이며, 후회나 죄의식이 없어서 행한 행동의 결과가 어떠한 영향을 일으키는지 전혀 고려하지 않는다. 그래서 자신이 행한 행동으로 쾌락을 얻으며, 공간능력이나 책임감에서 무책임한 편이다. 거짓말이나 속임수에 능하고, 행동 대부분이 반사회적일 때가 많아 타인들로부터는 질책과 반감을 일으키기도 한다.

서울대병원 정신과 권준수 교수는 사이코페스는 뇌 기능의 장애에서 비롯된 것이라고 주장하지만, 이는 성격발달상의 환경적인 영향에서 문제가 일어나 반사회적인 성격으로 형성된 것이라고 심리학자들은 다르게 주장을 한다.

그러나 사이코페스가 뇌 기능의 장애나 기질적인 면이 원인이 되어서 일어나든, 선천적인 요인과 후천적으로 가정환경이나 성격발달상 환경의 영향으로 발생하든 이들을 구분하기란 어렵다. 전문가라도 쉽게 알아볼 수 없을 정도로 일반인과 차이가 없기 때문에 분간할 수가 없는 것이다. 최근에 강력범죄가 발생하거나 성 범죄, 연쇄살인 사건, 유괴 사건 등으로 인하여 사이코페스가 대중적으로 알려졌는데, 사회구조적인 측면에서의 자극도 이들의 행동을 부추기는 원인이 될 수 있다고 본다. 그래서 사람들도 인간의 성격이나 정서발달, 정신발달 기간에는 각별한 주의를 기울여서 어린이들을 키울 필요가 절실하다고 하겠다.

이런 사이코페스들은 일터에서도 성실하고 인간관계도 좋으며, 거주지 주변 사람들로부터도 착한 사람으로 인정되어, 보편적으로 볼 때 평범한 사람으로 보이지만, 이들의 심리적 영역 내면에는 야누스의 양면성을 가지고 있어서, 범죄적 행동을 일으키기 전에는 아무도 알아차릴 수 없다는 점이 특징이다. 보통은 평범하고 착실한 사람으로 인정을 받으며 살아가는 경우가 많기 때문에 좀처럼 알기가 어렵다.

어쨌거나 가장 중요한 사실은 온화한 분위기의 가정환경이 무엇보다 필요하며, 부모님들의 자녀 보살핌도 지극정성으로 해야만, 이런 사이코페스가 발생하지 않는 사회를 만들어 나가는 지름길이 될 것이라고 생각한다.

콤플렉스(complex)

　콤플렉스라는 말은 지크문트 프로이트나 카알 융 같은 정신분석 심리학자들이 만들어낸 용어다. 이는 복잡하게 얽혀 있는 마음이자, 무의식중에 인간의 행동을 좌우하는 에너지의 원천이라고 할 수 있다. 콤플렉스라는 말은 라틴어 com(함께)과 plectere(짜기)라는 말을 합성한 단어로, '짜진 것', '엉켜서 복잡한 것'을 의미하는 말이다.

　프로이트가 말한 콤플렉스는 '금지와 갈망 사이의 복잡한 갈등'을 의미한다. 도덕, 윤리, 양심이 허용하지 않는 내용을 억눌러 생긴 억압적 감정의 복합체라고 할 수 있는 것이다. 이는 마음의 구조인 이드, 자아, 초자아와 함께 인간의 마음의 구조를 형성하는 구성으로, 인간의 성격의 모체라 할 수 있는 것이다.

　프로이트는 성격발달이론에서 5단계로 나눠 성의 발달이론은 제창하였다. 이 가정 중에서, 남근기에 도달하면 아이들은 성의 기초가 되는 오이디푸스 콤플렉스와 엘렉트라 콤플렉스를 거친다고 하였다. 칼 융은 콤플렉스는 심리적인 생명의 핵이자 인간의 감정, 지각, 원망의 원형이라고 주장하였다.

보다 대중적인 의미의 콤플렉스는 열등감과 동의의 말이기도 하다. 개인 심리학의 원조적인 인물인 알프레드 아들러는 열등감 콤플렉스(inferiority complex)라는 용어를 사용하여, 열등감 보상 이론을 내놓았다. 프로이트의 제자였든 아들러는 성과 쾌락의 결정력에 집착하는 스승에게 반발하여 열등감을 극복하는 인간관을 제시하였다.

아들러에 의하면 돈 많은 재벌은 시초에 돈에 대한 열등감의 콤플렉스를 가졌던 사람이 이를 보상하다 보니 저절로 재벌이 되었다고 하였으며, 세계 제일의 웅변가였던 데모스테네스도 말을 더듬는 열등감 콤플렉스를 가져서 고민을 하다가 이를 보상하고 나자 자신도 모르게 세계에서 제일가는 웅변가로 변해 있었다고 하였다. 아들러에 의하면 인간 존재가 된다는 것은 자신이 열등하다고 느끼는 것을 의미한다는 말이다. 그러나 모든 인간이 가지고 있는 열등감은 모든 행동의 동기이자 추진력이 되어서 활발한 활동을 하게 한다는 것이다. 열등감의 보상은 우월에 대한 추구이기도 하다는 말이다.

어린이는 성인에 비해 작고 능력이 부족할 뿐 아니라 부모님이 없으면 아무 것도 할 수 없는 존재 자체가 열등감이지만, 이것이 곧 성장하며 성공하고자 하는 동력이 된다는 말이다. 최근에 잇달아 터지는 유명인들의 학력위조 파문도, 그 밑에는 학벌에 대한 콤플렉스가 큰 요인이 된다고 볼 수 있다.

도덕의식이 빈약한 일부 개인의 문제가 아니라 우리 사회 전체가 앓고 있는 집단 콤플렉스에 해당한다고 볼 수 있으며, 영어 콤플렉스, 외모 콤플렉스, 서울대 콤플렉스, 강남 콤플렉스 등등 수없이 많은데, 우리가 이런 콤플렉스를 어떻게 합리적으로 보상하느냐에 따라 다른 결과로 나타날 수 있음에도 불구하고, 깊은 생각을 하지 않은 채 사회풍조에 편승하여 부정적으로 해결하려다 보니까 문제가 되는 셈이다.

그리고 우리는 종종 친구나 지인들로부터 자신의 약점이나 열등감을 지적받을 때, 감정적으로만 대하는 경향이 매우 잦다. 나의 약점을 들추어서 자신을 잘 보이게 하려고 하는구나 생각하면 괘씸하기도 하지만, 이를 다른 측면에서 생각한다면 도리어 감사를 표해야 할 일이다.

나에게 있는 열등감 콤플렉스를 지적하는 것은 나를 위해서, 그것을 보상하거나 고치라고 조언해주는 사람으로 이해한다면, 감사하는 마음이 일어날 수 있을 것이다. 자신의 콤플렉스든 타인의 열등감이든 모두 잘 보상하여서 좋은 결과로 나타난다면 모든 사람의 정신건강에 도움이 되지 않겠는가?

스트레스를 푸는 방법

미국 NBC방송은 건강프로에서 스트레스를 이기는 법 10가지를 소개했다. 스트레스 치료 전문의들이 제시한 이 10가지 방법은 다음과 같다.

①가족과 친구의 도움을 받으라. 피츠버그대학의 정신외상 치료 전문의 마거리트 커 박사는 당장 필요한 것은 가족과 친구의 도움을 받는 것이라고 말한다. 스트레스를 가져온 문제들을 가족, 친구들에게 얘기하면 스트레스가 줄어든다는 것이다.

②매일 하던 일을 계속하라. 워싱턴대학 정신과 전문의 캐로노스 박사는 아침에는 늘 조깅을 하고 토요일 저녁에는 외식을 했다면 중지하지 말고 그대로 계속하라고 권고한다. 평소에 하던 일을 계속하다 보면 위안을 얻게 되고 스트레스가 가라앉는다는 것이다.

③운동을 충분히 하라. 하버드대학 심리학 교수인 마크 시거트 박사는 걷기, 화단 가꾸기, 조깅, 수영 등 무슨 운동이든 좋지만 가장 효과적인 것은 요가라고 말한다. 운동은 스트레스의 해독제가 되며 특히 요가는 불안을 이완시키는 효과가 있다고 한다.

④카페인이나 알코올의 과다 섭취를 피하라. 카페인과 알코올은 수면을 방해하고 우울한 기분을 깊게 한다.

⑤충분한 휴식을 취하라. 악몽 때문에 잠을 푹 잘 수 없다면 짧게라도 수면을 취할 것을 전문가들은 권한다. 밤중에 잠이 오지 않으면 불을 끄고 눈을 감고 그냥 누워 있어도 된다.

⑥식사를 제대로 하라. 인스턴트 음식으로 때우지 말고 제때에 식사를 하는 게 좋다.

⑦사교활동을 하라. 평소에 하지 않는 것이라도 외출해서 저녁 식사를 하고 춤을 추거나 재미있는 영화와 연극을 보는 것이 도움이 된다.

⑧자원봉사활동을 하라. 시거트 박사는 남을 도와주는 일을 하다 보면 무력감이 사라질 수 있다고 조언한다.

⑨TV 앞에 붙어 있지 말라. TV에 무서운 장면이라도 나오면 오히려 불안만 더해진다. 차라리 인터넷을 즐기거나 신문을 읽는 것이 낫다.

⑩자신의 증세를 인정하라. 직장이나 집에서 무엇 때문에 마음에 상처를 받았는지를 솔직하게 정리를 하라는 것이다. 단순한 얘기 같지만 자신에게 무엇이 잘못되었는지를 시인하지 않으면 치유가 어렵다고 시거트 박사는 말한다.

시거트 박사는 이 모든 것들이 도움이 되지 않을 때는 정신과 전문의를 찾으라고 마지막으로 권한다.
(뉴욕=연합뉴스) 강일중 특파원

화를 참는 방법

화나고 힘들 때 이렇게 해보세요.

①"참자!" 그렇게 생각하라.

감정 관리는 최초의 단계에서 성패가 좌우된다. '욱'하고 치밀어 오르는 화는 일단 참아야 한다.

②"원래 그런 거"라고 생각하라.

예를 들어 고객이 속을 상하게 할 때는 고객이란 "원래 그런 거"라고 생각하라.

③"웃긴다."고 생각하라.

세상은 생각할수록 희극적 요소가 많다. 괴로울 때는 심각하게 생각할수록 고뇌의 수렁에 더욱 깊이 빠져 들어간다. 웃긴다고 생각하며 문제를 단순화시켜 보라.

④"좋다, 까짓 것!"이라고 생각하라.

어려움에 봉착했을 때는 "좋다, 까짓 것!"이라고 통 크게 생각하라. 크게 마음먹으려 들면 바다보다 더 커질 수 있는 게 사람의 마음이다.

⑤"그럴 만한 사정이 있겠지."라고 생각하라.

억지로라도 상대방의 입장이 되어 보라. 내가 저 사람이라도 저럴 수밖에 없을 거야~ 뭔가 "그럴 만한 사정이 있어서" 저럴 거야~라고 생각하라.

⑥"내가 왜 너 때문에"라고 생각하라.

당신의 신경을 건드린 사람은 마음의 상처를 입지 않고 있는데, 그 사람 때문에 당신이 속을 바글바글 끓인다면 억울하지 않은가. "내가 왜 당신 때문에 속을 썩어야 하지?" 그렇게 생각하라.

⑦"시간이 약"임을 확신하라.

지금의 속상한 일도 며칠 지나면, 아니 몇 시간만 지나면 별 것 아니라는 사실을 깨달아라. 너무 속이 상할 때는 "시간이 약"이라는 생각으로 배짱 두둑하게 생각하라.

⑧"새옹지마"라고 생각하라.

세상만사는 마음먹기에 달렸다. 속상한 자극에 연연하지 말고 세상만사 "새옹지마"라고 생각하며 심적 자극에서 탈출하려는 의도적인 노력을 하라.

⑨"즐거웠던 순간"을 회상하라.
괴로운 일에 매달리다 보면 한없이 속을 끓이게 된다. 즐거웠던 지난 일을 회상해 보라. 얼마든지 기분이 전환될 수 있다

⑩"눈을 감고 심호흡"을 하라.
괴로울 때는 조용히 눈을 감고 위에 언급한 아홉 가지 방법을 활용하면서 심호흡을 해 보라. 그리고 치밀어 오르는 분노는 침을 삼키듯 "꿀꺽" 삼켜 보라.

세상은 결국 내 삶과 내 경험, 내 지식 안에 있습니다. 그 공간을 넓히는 일은 마음열기, 마음먹기에 달려 있습니다.
남을 속이기는 쉬운 일일 수도 있지만, 자기를 속일 수는 없습니다. 좀 더 자신에게 솔직해지고, 자기중심에서 벗어났으면 합니다. 많이 가지려고 자기 안쪽으로 몸을 굽혀 자기 것만 주우려 하기보다는 일어나서 크게 보며 멀리 앞에 것을 볼 줄도 알았으면 좋겠습니다.

정서불안의 요인

　사람들이 갖고 있는 정서에서 평형상태가 무너져 이상한 정서를 표출하게 되면, 마음의 안정을 잃게 되어 어찌 할 줄을 모르고 당황하는 상태가 되면, 이런 상태를 우리는 흔히 마음이 불안한 상태라고 말한다.

　정서상태가 안정되지 못하여 그 표현이 극과 극으로 표현될 수 있으며, 그러면서 주위 사람들로부터 비난을 받거나 질타를 받게 되면, 마음은 더욱 긴장과 불안에 휩싸이게 되는데, 이런 결과는 모두 정서의 불안에서 출발하는 것이다. 이런 경험이 되풀이되어 마음에 짐이 되면, 정신장애로 발전할 수 있는 요인이 되는 것이다.

　정서발달이 시작될 때 개체에 맞는 환경이 주어지면 모르겠지만, 자신에게 맞는 환경이 제공되지 않기에 그런 환경에 잘 적응해 나가야 하는 것이다. 이럴 때는 주변의 인적 환경에 지대한 영향을 받으며, 부모나 가족, 친구, 스승으로부터 많은 영향을 받는다는 것이 사실이다.

이런 환경으로 인하여 정서불안은 일어나며, 이 정서불안이 지속되면 정신적 장애를 초래할 수 있기에, 여러 면에서 자라나는 아이들에게는 주의를 요해야 하는 것이다.

그렇기에 대인관계의 친밀성, 사랑, 화합, 협동, 융화, 이해를 바탕으로 정신건강을 유지할 수 있는 정신위생이 되어야 정신장애에 걸리지 않게 된다는 말이다. 이런 인적 환경은 성격발달이나 정서발달에도 영향을 미처, 올바르고 건전하며 성숙한 인격자로 성장할 수 있는 것이다.

정서불안을 일으키는 요인은 어떤 것들이 있을까?

①부모의 배척

자라나는 어린이들은 부모가 자신에게 100% 만족해 주기를 바란다. 사소한 일에도 부모님이 관심을 가져주기를 바라고, 자신에게 보이던 관심이나 사랑이 다른 곳으로 옮겨가면, 자신을 멀리하거나 배척한다는 마음이 생긴다.

빼앗긴 사랑과 관심을 되찾기 위해 어린이들은 '틱'이라는 이상 행동을 벌이기도 하며, 주위를 끌려는 행동을 자주하는데, 부모가 이를 꾸중하거나 체벌하지 않고, 관심과 사랑을 보이면 이상 행동의 빈도가 줄어들고 점차 이상 행동을 하지 않게 된다. 부모님을 불러도 대답을 하지 않거나 응답이 없을 경우에도 배척으로 생각 한다는 말이다.

②부모의 과잉보호

부모는 자녀들이 귀엽기도 하고, 하나 아니면 둘밖에 낳지 않기 때문에 자식이 사랑스러워서 아끼고 싶은 마음은 모두 같을 것이다. 육체 건강이나 하는 행동에 지대한 관심을 보이는 것도 과잉보호이고, 아이가 요구를 하지 않는데도 부모가 해주는 것 역시 과잉보호이고, 넘치는 보호로 아이를 감싸 안는 것도 과잉보호이다. 이런 태도가 빈번하면 아이는 홀로 서지를 못하고, 의존적인 아이로 성장하게 된다.

온실 안에서 자란 식물과 같아서, 비바람이 불고, 고온이나 혹한의 환경에서는 견디지 못하고 죽는 것과 같이, 아이들을 과잉보호하면 자신감과 용기와 자립심이 없어서, 항상 환경적응에 도움을 줄 사람을 바라는 의존적 인간이 된다.

자기 인생을 자기가 살 수 있는 아이로, 스스로 어려운 환경에도 잘 적응할 수 있는 아이로 성장하도록 돕는 것이, 바르게 자식을 키우는 것이다. 의존적 사람은 마음이 항상 불안하고 남에게 기대려고만 한다.

③가정 파탄

가정의 파탄은 사업상 경제적 문제나 사업의 불황으로 망하는 경우, 부모의 이혼, 별거 등으로 화목한 가정이 흩어져서 없어지면 불안을 경험하며, 부모의 사망이나 가족과의 생이별 등이 발생하면 성인뿐만 아니라, 어린 자식들도 상당한 심적 불안을 갖기 때문에 정서불안이 일어나는 것이다.

　가정파탄의 원인이 아버지든 어머니든 부모가 없다는 사실은 기둥이 없는 집이 무너지는 것 같이, 가정파탄은 울타리가 없는 집처럼 자녀들을 보호해 주어야 할 울타리가 없어서 심각한 문제를 낳는다.

　부모는 자식들이 자라며 정서나 성격발달을 하는 기간에는 가정파탄이 일어나지 않도록 서로 이해하고 사랑하며 좋은 아버지 어머니로 아이들의 모델이 될 필요가 있다.

④부부간의 불화

　아버지와 어머니의 생활과 태도가 자녀들이 보기에 다정스럽고, 존경스럽고, 사랑스럽게 느껴지도록 삶을 살아간다면 좋겠지만, 사소한 일로 또는 자기주장을 꺾지 않으려고 고집스러운 언행이나 불화를 일으킨다면 아이들은 누구의 편에 서야 할지 고민이 되어 갈등을 겪게 마련이고, 당장 마음에 불안이 일어나서 안절부절 못하게 되는 것이다. 서로 존칭어를 쓰지 않고 쌍소리를 하거나, 상대를 무시하는 말 등 언쟁을 일삼거나, 힘으로 밀고 당기며 주먹이 오고 간다면 자녀들은 안정을 찾을 수가 없고, 불안에 떨어야 한다.

부부가 사랑스런 삶의 모양을 보이는 것이 아이들에게는 꿈과 희망을 얻게 하는 것이며, 남을 사랑할 줄 알고 이해할 줄 아는 사람으로 성장하게 하는 것이다. 아이들 앞에서는 불화의 모습을 보이지 않도록 부부가 함께 노력할 필요가 있다.아이들에게는 꿈과 희망을 얻게 하는 것이며, 남을 사랑할 줄 알고 이해할 줄 아는 사람으로 성장하게 하는 것이다. 아이들 앞에서는 불화의 모습을 보이지 않도록 부부가 함께 노력할 필요가 있다.

⑤출생순위

이복형제와 같이 생활하는 것도 정서불안의 요인이 되고, 장남이다 막내다 하는 출생순위에 따라 부모가 차별대우를 하고 음식에서부터, 생활용품을 나눌 때도 항상 첫째나 막내를 우대하는 것이 자녀를 대하는 우리의 전통 방식이었다.

이런 것은 아이들이 시기심을 일으키거나 질투심을 갖게 하는 요인이며, 형제간 경쟁에서 늘 장남이나 장녀가 아니면 불이익을 당한다는 마음을 갖게 되면서 마음에 불안이 싹트는 것이다. 사촌이 논을 사면 배가 아프다는 속담이 우리의 모습이다.

자식에게는 아이가 원하는 것, 요구하는 것, 바라는 것을 형편에 맞게 해 주어야 한다. 넘쳐도 안 되고, 부족해도 안 된다. 형제간에는 공평하고 합리적인 모습을 보여 줄 필요도 있다.

형제간 다툼이 일어나면, 그 원인을 파악하고, 똑같이 벌하고, 좋은 일이나 행동을 하였을 때도, 한 아이만 상을 주지 말고, 똑같이 상을 준다면, 같이 협조하고 장단점을 서로 보완해 주면서 자라날 뿐만 아니라 형제간 우애가 깊어지고, 서로 아끼게 된다.

⑥정당한 목표의 미설정

여섯 번째 정서불안의 요인은 늦게 나타나는 불안이다. 진학을 앞둔 학생이나 입사 시험을 치를 대졸 사회 초년생, 퇴출이나 퇴직 후 특별히 자신이 할 일이 없이 막연할 때는 성인들도 정서적 불안을 겪게 된다. 부모는 자녀들에게 아이의 능력(지능)이나 관심, 흥미, 적성 등을 잘 파악하여 자녀가 바라는 길로 안내해 주는 가이던스가 되어야 한다.

그래야만 어릴 때부터 확실한 자기의 앞길을 선택하게 되는 법이다. 미래의 목표는 실현성이 높고, 현실적이며, 자기의 수준과 형편에 맞을 때 안정을 가져다주지만, 정당하지 못한 목표일 때는 불안을 갖는 것이다. 마음의 안정을 유지할 수 없을 때 사람은 빗나가는 행동을 한다. 음주나 도박에 빠지기도 하며, 성적

문란과 비행, 사회적 비난을 받는 범죄까지 저지를 수 있으므로 조심해야 한다.

정서불안의 요인을 조성하는 사람도 있을 것이고, 어려운 환경과 삶 속에서 살아가야만 하는 청소년들도 있을 것이며, 이런 환경을 보면서도 외면하고 전혀 상관이 없는 것처럼 살아가는 사람들도 있을 것이다. 정서불안에 영향을 주거나 주지 않거나 모든 사람들이 건강한 육체와 건강한 정신을 갖고 살아가기 위해서는, 사회를 이루고 있는 작은 사회인 가정과 인적 환경인 주변의 사람들 모두 정신건강을 위해 정서불안을 겪지 않도록 함께 노력할 필요가 있다.

정신건강 유지법

   인간에게는 건강이 가장 중요한 일이다. 건강에는 육체적 건강과 정신적 건강이 있으며, 육체적 건강 유지를 위해서는 보건위생을 철저히 실천해야 하고, 정신적 건강유지를 위해서는 정신위생을 잘 지켜나가야 한다.

   보건위생을 위해서는 병원균이 발생하거나 유포될 수 있는 곳을 철저히 방제하거나, 예방주사를 맞는 일, 육체를 깨끗하게 유지하기 위한 청결, 목욕, 세탁, 가정의 청소 등이 필요하다. 육체의 건강 유지를 위해서는 음식도 시간 맞춰 적당히 먹고, 영양가를 골고루 섭취하며, 적당한 운동을 하거나 주변을 소독하는 일 등이 필요하며 보건위생에 해당하는 일이다.

   정신위생을 위해서는 책을 구입해서 정독하는 것이 가장 바람직하고, 자기 스스로 자신을 다스리는 법을 찾아서 실천하도록 노력해야 한다. 정신위생을 위해서는 신체 건강의 유지, 현실적인 욕구 수준과 친밀한 대인관계 유지, 다양한 사회활동 참여, 취미생활의 생활화, 감정이나 정서의 적절한 표현, 자신만의 시간과 휴식, 자기 인생을 자기가 살아가는 일, 초월적인 힘(종교)에 의지하는 활동 등 여러 가지를 잘 활용하는 것이 필요할 테고, 일상생활의 균형과 조화가 정신위생을 지키는 일이자, 정신건강을 유지하는 방법일 성싶다.

자신의 정신이 건강한지 아니한지를 알기 위해서는 자신을 어떻게 보느냐 하는 것도 중요하다. 이것은 자신에 대한 평가가 좋아지도록 해야 한다는 것이고, 자신을 브랜드로 삼아 높은 평가를 받도록 노력하는 생활이 정상이란 뜻이다. 이와 반대되는 생활이라면 정신건강에 좋지 않다는 뜻이기도 하다.

타인에 대한 평가를 어떻게 하느냐 하는 것도 중요한 변수다. 타인을 무시하거나, 자신에게 굴복을 시키려 한다거나, 언행에 예의를 지키지 않는다거나, 감정과 정서의 표현이 극과 극으로 치우치는지 살펴야 한다.

자신이 하는 일(직업)에 대한 평가도 정신건강과 밀접하게 관련이 된다. 요령을 피우거나 겉핥기식으로 경솔하게 처리하거나, 일하기 싫어하거나, 일을 할 때도 최선을 다하지 않아서 책임추궁을 당하는 일은 없는지, 적극적이고 긍정적으로 일을 처리하는지 파악해보면 정신건강의 척도가 될 수 있다.

자신이 처한 환경에 대해서도 평가해 보아야 한다. 내가 처한 환경을 스스로는 어떻게 바라보고 있고, 그런 환경에 어떻게 적응하는지 되돌아보는 것도 자신의 정신이 건강한지, 아닌지 알아보는 데 중요한 기준이 된다.

정서와 감정의 표현 상태가 어떠한지도 평가해 볼 일이다. 너무 극과 극으로 표현되는 일이 자주 일어나거나, 감정이나 정서의 표현이 전혀 되지 않는 채 참는다거나, 표현이 되지 않아서 갈등이 심한지를 알아보면 정신건강의 기준으로 삼을 수 있다.

이상과 같은 기준으로 자신을 평가해보고 나서 정상이 아니라는 생각이 들면 소극적인 정신위생이 아니라 적극적인 정신위생에 돌입하여 정성을 다해 실천해야 한다. 친구의 병원에 가보니 "재물을 잃는 것은 조금 잃는 것이고, 명예를 잃는 것은 많이 잃는 것이며, 건강을 잃는 것은 몽땅 잃어버리는 것이다."라는 글을 걸어 놓았는데, 이 또한 육체건강보다는 정신건강을 강조하는 경구(驚句)로 보였다.

아무리 높은 학력, 장인의 기술, 전문가의 능력을 가졌더라도 정신건강을 잃으면 건장한 육체가 무슨 소용이 있을 것이며, 사람의 도리나 의무, 책임을 행할 수 없다면 몽땅 잃어버리는 결과가 아니고 무엇이랴.

스트레스(stress)

스트레스(stress)란 말은 동물이나 식물이 외부의 힘에 대항하여 자신의 원형을 보존하려는 저항의 힘으로 보면 되겠으나, 사람에 한하여 말을 하자면, 오감기관을 통해 들어오는 외부의 자극에 불쾌감을 느낄 때 일어나는 현상이다. 소리나 눈으로 보는 것, 어떤 상황에 처했을 때나 어떤 행위를 하여 잘못에 대한 책임추궁과 질타를 받는 것, 기온에서 느끼는 것 등을 통해 일어나는 마음의 현상이라 할 것이다.

이러한 스트레스가 신체 내부에 전달이 되었을 때, 신체가 정상을 유지하려는 활동을 방해하여 여러 가지 문제를 일으키기 때문에 스트레스는 만병의 원인이 된다고 한다. 이런 원인으로 생긴 긴장이 지속될 때, 정신적으로 피로해지고, 덩달아 신체적 컨디션도 악화되어, 마음이 무겁고 머리가 멍해지며, 식욕이 없어지고 피로감이 자주 밀려들면서 아무 것도 아닌데 신경질을 내거나 화를 자주 내는 원인이 된다.

스트레스의 정서적·심리적 결과로 나타나는 결과는 분노, 비애, 긴장, 불안, 공포, 초조 등 실로 다양하다. 이러한 스트레스가 해소되지 않는 것을 프로이트(S. Freud)는 '심리적 갈등'이라고 하며, 흔히 우리가 이야기하는 콤플렉스와 같은 의미라고 하였다. 이 갈등은 마음의 고민으로서 해결해야 할 어떤 문제나 일이 제대로 해결되지 않아, 그 방법을 간구하는 과정의 고민이라고도 할 수 있다.

아들러(A. Adler)는 다른 말로 '열등감'이란 단어로 설명하였는데, 이는 자신의 마음에 채워지지 않은 불만족의 상태, 부족한 면을 갖고 있음을 부끄럽게 생각하는 심리상태를 말하는 것이다. 아들러에 의하면 열등감은 누구나 갖고 있는 현상으로, 부족한 면을 부끄럽게 생각할 것이 아니라, 그 열등감을 보상하면 현재보다 발전한 자신을 기대할 수 있기 때문에 부끄럽다고 숨기기보다는 그것을 공개적으로 말하면서 보상하라고 권유하였다.

그 예로 그리스의 웅변가 데모스테네스의 예를 들면서, 그가 어떻게 세계 제일가는 웅변가가 되었는지를 설명하면서, 그의 세계 제일 웅변가로서의 명성은 말더듬이라는 열등감을 고치려고 피나는 노력을 한 결과 저절로 얻어진 상이었다고 하는 것이 그의 열등감 보상의 이론이라는 학설이다.

스트레스를 마음에 쌓아 신체의 질병을 유발하는 일도 안 되지만, 갈등을 해소하지 못하여 자신의 정신건강을 해친다면 이것도 어리석은 일이다. 스트레스나 열등감, 콤플렉스 등은 누구에게나 들이닥치고, 누구나 받으며, 모두가 갖고 있는 정신현상이기에 이를 어떻게 푸느냐가 중요하다. 이를 가볍게 여겨 질병을 크게 키우는 일을 저지르지 말고, 자신이 스스로 진단하고 평가하여 혼자 해결할 수 없을 때는, 반드시 전문가를 찾아가서 제대로 진료를 받아야만 건강을 유지할 수 있고, 가족이나 주변의 사람들에게 짐을 지우는 일에서 벗어날 수 있다.

마음을 다스리는 일은 그리 간단한 일이 아니다. 먼저 과욕을 버리는 것이 첫째요, 마음을 비우는 바보가 되는 것이 둘째요, 자신이 하고 싶은 일이나 취미생활을 즐기면서 만족감을 느끼는 것이 셋째다. 얻기를 바라기보다 주는 즐거움을 찾는 일도 한 가지 방법이다.

말더듬이의 해법

　말을 더듬어 대화에 애로를 느끼는 사람들이 주변에나 가까운 곳에 많이 있다. 이들을 볼 때 우리는 우습다고 말하기도 하고, 어린 시절에는 더듬는 것이 재미있다고 흉보기도 한다. 그래서 놀리거나 더듬는 단점을 이용해 상대를 무시하기도 했던 것이 우리의 자세였다. 그러나 지금부터는 그들을 이해하고 마음의 상처가 되는 말이나 행동을 하는 대신 용기와 자신감을 갖도록 도와주는 것이, 말을 더듬는 사람들에게는 큰 힘이 될 것이다. 이왕이면 말더듬이를 교정하는 곳을 소개하거나 교정하는 방법을 권고해주면 금상첨화가 아닐까?

　말을 더듬는 사람이라면 답답한 그 마음을 누군가가 이해해주기를 갈망할 것이다. 주변에서 이해하면서 힘과 용기를 주는 부모나 교사, 친구들이 있을 때 더듬는 증상을 교정하고, 자유롭게 대화하면서 사람들과 적극적으로 어울리는 행동에 나설 수도 있다. 말을 더듬는 분이라면 용기를 갖고 힘을 내시기 바란다. 말더듬는 증상을 극복하도록 돕겠으니 지시하는 내용을 이해하고 실천하여 근본적으로 해결할 수 있었으면 좋겠다.

말을 더듬는 원인은 여러 가지가 있으나, 가장 많은 경우가 모방 때문이라고 한다. 말더듬는 증상이 재미있다고 흉을 보다가 그만 스스로 말더듬이가 되거나, 말더듬는 사람과 자주 어울려 대화를 하다가 저절로 닮게 되는 감염이라는 것도 있다. 말더듬이를 혹자는 유전이라고 하는데, 부모 중 한 사람이 더듬으면 자식 중 한두 사람이 더듬는 것도 유전으로 오해하기 때문이지 실제로는 유전이 아니다. 모방이나 감염으로 말더듬이가 되었건, 말의 증상이 겹쳐지거나 첫 자가 안 나오는 경우건, 중간에 말이 끊어지는 증상으로 대화에 자장을 주는 현상이건 모두 말을 더듬는 장애인 것은 분명하다.

말을 더듬는 증상이 있거나 말에 자신이 없는 사람들은 더듬는 증상을 감추려고만 하지 말고, 철저하고 냉정하게 자신의 증상을 분석해야 한다. 입을 어떻게 벌리는지, 말을 할 때 호흡의 문제가 어떤지, 또 심리적·정신적으로 느끼는 사고나 마음가짐의 상태가 어떤지 자세하게 분석하여 하나씩 해결해 나가면 문제를 풀어나갈 수 있다.

이런 분석을 하려면 자신이 냉정하게 할 수도 있겠으나, 전문가를 찾아가 상태를 알리고, 전문적 심리진단검사를 받아본 다음 분석을 하는 것이 현명하다.

말더듬이를 고친다고 하는 웅변학원이나 어중이떠중이들에게 가지 말고, 반드시 정신과의사나 임상 심리전문가를 찾아가서 분석하고 해법을 찾는 것이 현명한 일이다.

육체의 질병과 같이 전문의에게 가서 정밀진단을 받고, 의사의 처방대로 제 시간에 약을 먹고, 의사의 지시를 어리석은 바보같이 따른다면, 질병이 저절로 사라지는 것처럼 말더듬이도 말이 되는 발음법으로 되풀이 연습을 하게 되면 말하기가 쉬워지고, 나중에 가서는 말을 더듬는 증상이 씻은 듯이 저절로 사라진다. 말더듬이나 육체의 질병도 모두 저절로 사라지는 것이지, 누가 고쳐주는 것은 결코 아니라는 사실이 중요하다.

더듬는 증상은 하나의 습관에 지나지 않는다. 습관은 습관으로 고치라고 하는 말처럼, 고쳐야 할 습관을 반복하는 대신에, 하나의 새로운 습관을 형성하여 그 빈도를 못된 습관의 10~30배 이상 반복하게 되면, 악습관은 일어나는 빈도가 줄면서 나중에는 사라지고 만다. 이런 방법은 행동수정이론의 한 방법이지만 사실로 그렇게 된다는 점이 중요하다.

말더듬이 역시 자신의 노력 여하에 따라 빨리 해결할 수도 있고, 그렇지 않고 몇 년씩 노력해야 하는 경우도 있으나 후천적 학습에 의한 행동이므로, 반드시 교정이 된다. 좀 더 쉬운 방법이 없을까? 약으로는 안 될까? 뾰쪽한 비책이 있을까? 잔머리 굴리며 생각하지 말고 땀 흘린 연습량만큼, 더듬는 증상도 차츰 사라진다는 진리를 알아야만 성공할 수 있다.

발음의 방법은 호흡을 들이쉬었다가, 들이쉰 숨을 내쉴 때 해당자의 입 모양을 크게 하면서, 첫소리를 길게 발음하는 것이다. 숨을 내쉬면서 말하게 되면, 더듬는 증상은 없고, 말하기가 쉬워진다. 말을 할 때도 가볍게 힘들이지 말고 해야 한다.

웅변하듯이 힘들이고 신경을 쓰면서 하면 말더듬는 증상은 오히려 심해진다.

말을 할 때는 자음 모음을 분리해서 하듯이, 풀어서 말을 해야 한다. 예를 든다면, "달!"이라고 발음할 때는 "다~~알"로 분리해서 하라는 말이다. 첫소리를 길게 하고 뒷말은 약하고 아주 가볍게 하는 된다.

데모스테네스는 BC 300년의 그리스 사람이다. 세계인명사전을 찾아보면 세계에서 제일가는 웅변가라고 소개하고 있다. 이 사람이 세계 일류의 웅변가가 된 것도, 말더듬는 증상을 고치고 나자 자신도 모르게 달변의 웅변가가 되었다는 것이다. 필자가 쓴 『말더듬 최신교정법』을 이용하여도 많은 도움을 받을 수 있다. 실망하거나 용기를 잃지 말고, 말더듬는 무거운 짐을 벗어버리시기 바란다. 방법은 오직 하나, 자신이 많은 시간을 투자하여 미친 듯이 말 연습을 해나가는 길밖에 없다.

정신건강의 판별

정신건장은 어떻게 판별해야 할까? 사람들은 몸이 아프면 어느 부분이 어떻게 아픈지를 바로 알고, 걱정을 하다가 병원을 찾거나, 전문의를 찾아가 치료를 하는 적극성을 보인다. 그러나 정신적 질병에 대해서는 이와 정반대로 외면하거나 무시하거나 무관심으로 일관하는 일이 허다하다. 이런 현상은 육체건강에 대해서는 신경을 써도 정신건강에 대해서는 다르게 생각한다는 것으로 이해할 수 있다.

육체의 질병에 걸리지 않기 위해서는 보건위생을 잘하는 일이 중요하다. 몸이 필요로 하는 만큼 제때에 알맞은 영양을 섭취하고, 적당한 운동을 하고, 휴식을 취하고, 규칙적인 생활을 하고, 몸을 깨끗이 하고, 생활공간 주변의 장소나 거처하는 곳, 옷 등의 청결을 유지하는 일이 그런 노력일 것이다.

정신건강을 유지하기 위해서는 정신위생을 철저히 하는 것이 중요하다. 그런데 정신건강을 유지하고 질병에 걸리지 않기 위해서는 인적 환경이나 주변 환경의 탓으로만 돌릴 것이 아니라,

전적으로 자신에게 책임이 있다는 사실을 스스로 필요가 있다.

정서불안을 겪지 않도록 넓은 마음을 가지는 일, 이해심을 가지는 일, 참고 견디는 인내심을 가지는 일은 말할 것도 없고, 자신이 한 일이나 직업상의 문제는 자기가 책임지는 책임의식을 가져야 하며, 감정과 정서의 표현이 적절하도록 마음을 조절하고, 현실을 벗어난 지나친 욕심으로 항상 마음이 불안하거나 긴장감에 휩싸이지 않도록 해야 한다.

스트레스를 받아 일어나는 마음의 갈등을 해소하는 일이 정신위생에서 대단히 중요하기 때문이다.

육체의 건강과 정신적 건강 어느 쪽이 더 중요할까? 육체의 질병을 다루는 의료인들은 육체건강이 더 중요하다고 할 테고, 정신의 질병을 다루는 사람들은 정신건강이 더 중요하다고 할 터이다. 친구의 병원에 가니 액자에 재물보다 명예보다 건강이 가장 중요하다는 경구(驚句)를 써서 걸어놓았는데, 내 생각에는 건강 중에서도 정신건강이야말로 "잃는 것은 몽땅 잃어버리는 일"이 될 성싶다.

아무도 갖지 않는 초일류 기술을 가졌더라도, 누구도 알지 못하고 따라올 수 없는 지식을 가졌더라도, 육체가 항우장사의 체력을 가졌더라도, 셀 수 없는 재물을 가졌더라도 정신건강을 잃고 정신분열증 진단을 받는다면 무슨 소용이 있겠는가? 기술도,

지식도, 체력도, 재물도 정신건강이 아니면 모두 도루묵이 될 테니, 정신건강이 우선이 아닐까 한다.

그러기에 이렇게 중요한 정신건강을 나는 어떻게 생각하고 대비하며, 건강유지를 위해 어떤 노력을 하였고 하고 있는지 되돌아보아야 할 때다. 먼저 자기 자신에 대한 생각은 어떤지, 대인관계에서 타인에 대한 생각은 어떤지, 환경에 대한 그릇된 판단과 착오는 없는지, 자신이 하는 일에 대한 의욕과 결과는 어떤지, 마지막으로는 감정과 정서의 표현이나 갈등의 처리는 어떻게 하고 있는지 생각해보는 일이 자신의 정신건강을 점검하는 첫걸음일 것이다.

정신장애라고 이야기할 때는 성격장애, 신경증(노이로제), 정신분열증을 통 털어서 말하는 것이다. 사람이 사람으로 활동할 수 없게 만드는 정신분열증(schizophrenia) 환자가 되지 않도록 예방하기 위해 가져야 할 태도는 무엇보다도 관심이다. 가장 먼저는 자기 자신이 관심을 가져야 하고, 다음은 부모나 주변 사람들, 교사나 직장의 윗사람들이 관심을 가져야 한다. 관심을 가지고 가벼운 성격장애나 노이로제(neuroses) 증상일 때, 전문가에게 가서 치료를 받도록 권유하며 보살펴주고 이해해주는 관심이야말로 효과적인 정신장애 치유의 출발점이다.

정신의학계에서 정신분열증이라고 최종 진단을 할 때는 대체로 3A나 4A가 동시에 나타날 때이다. 이는 최초로 면담할 때 나타나는 것과 종합정신감정을 한 심리진단검사의 결과를 보고 진단을 하는 것이다.

3A의 첫째는 Association으로 이는 대인관계(對人關係)의 심각한 장애가 온다는 것으로, 사람과 어울리지 못하고, 여럿이 있어도 항상 혼자라고 생각하며, 남을 경계하거나 의심하며, 사람을 피하는 현상이 주를 이룬다.

다음은 Affection으로 이는 감정(感情)의 심각한 장애가 일어나는 것인데, 감정과 정서의 표현이나 행동이 보편적이 아니라 특수하게 나타나며, 희비의 감정이 항상 교차하고, 사소한 자극에도 지나친 과민반응을 하는 것이 특징이다.

마지막은 Austism으로 사고(思考)의 심각한 장애가 일어나는 것인데, 망상이나 공상에 빠져, 생각은 현실적인 것이 없고, 합리적이지도 않으며, 대화를 해보면 종잡을 수 없을 정도로 혼란한 느낌을 갖는 것이 장애 사고 때문이다. 4A일 때 오는 Ambivalenc라는 감정과 정서의 양면적 현상을 보이는 것이다.

이는 외부로부터 오는 자극을 정상적으로 수용할 수 없어서 갈등을 일으키며 심적인 방황을 하는 것으로 볼 수 있다. 정신분열증에 도달하면 3~4개가 한꺼번에 언행과 생활에 나타나는 현상이 일어난다. 노이로제 때는 1~2개가 나타나고, 성격장애는 가벼운 상태인 데 비해 그만큼 심각한 상황인 것이다.

이처럼 중요한 정신장애 문제를 너무나 몰지각하게 생각하는 사람들이 있어서 이 글을 쓰게 된 것이고, 독자가 쉽게 이해할 수 있도록 도움을 주기 위해 쓰는 것이다. 정신감정은 반드시 정신과 전문의나 임상 심리전문가에게 가서 검사를 하고 진단을 받는 것이 가장 중요하다. 정신장애 치료를 위해 먹는 약물은 진정제와 항울제가 중심인데, 약물로는 근본적인 치료가 어렵기 때문에 반드시 정신치료를 받아야 올바른 치료가 가능하다.

우울신경증(depressive neurosis)

사람들은 출생하는 순간부터 사망에 이르기까지, 일생동안 수많은 체험을 통하여 좌절과 성공을 겪고, 기쁨과 슬픔, 희망과 절망을 맛본다. 자신감이나 용기에 넘쳐 환호작약하다가도 비통함과 좌절로 포기하거나 되풀이하여 슬픔을 겪으며 살아가는 고난의 길이 인생인 것이다.

이러한 과정에서 쉽게 우울증에 빠지는 사람과 그렇지 않는 사람들이 있는데, 어린 시절부터 대인관계에 도피적이거나, 어떤 행동을 해야 하는 순간에 꽁무니를 빼거나, 여러 사람 앞에서도 지나치게 많은 요구를 고집하거나, 외부 자극에 지나치게 민감하여 스트레스를 받으면 깊은 정서적 불안을 느끼거나, 화를 잘 내며 감정이나 정서의 표현이 전혀 없거나, 극단적인 표현을 잘 하는 사람들이 우울증에 잘 빠지는 성품이다.

어린 아이들은 자폐증에 빠지기 쉽고 왕따를 당하며, 청장년 시기에는 욕구 좌절에서 오는 절망감과 기대 상실로 인해 신체적으로 급격한 변화를 겪으면서 식욕 부진, 체중 감소, 무기력, 무감정, 잦은 대변, 폐경, 전신쇠약으로 민감한 상황에 처하기도 한다. 갱년기 울증도 나타나고, 주변의 가까운 가족이나 친척의 사망이나 이별, 연인 사이의 절교, 사업이나 시험의 실패, 자존심의 타격, 책임감을 이루지 못한 자책감, 직장의 실직과 젊음의 상실, 노화 등으로 오는 것이 우울증이라는 것이다.

우울증이 나타나면 울증(鬱症)만 나타나는 것이 아니라, 정반대의 증상인 조증(燥症)도 나타나는 경향이 있는데, 이렇게 복합적으로 나타날 때 '조울증'이라 한다.

우울증의 진단을 받거나 검사로 심리진단을 할 때 중요하게 다루어야 할 점은, 울증을 가진 사람의 경우 자살(suicide)의 위험이 어느 정도인지 파악하는 일이다. 대부분의 우울증 환자들은 자신이 무능하고 필요 없는 사람으로 생각하고 있기 때문에, 현실 적응에서 적극적이 아니라 소극적으로 대하며, 피하거나 도망하려는 마음이 강하며, 자기를 둘러싸고 있는 중압적인 환경에서 도피하려는 수단으로 자살을 영구적인 도피로 착각하기 때문에 불행한 일이 일어나는 것이다.

이러한 우울증을 앓는 사람들은 자신을 존경하는 자긍심이 없고, 자신을 상품화하여 내놓아도 알아주는 사람이 없으며, 높은 가치가 거의 없다고 확신하기 때문이다. 그렇기에 자기 주변에서 일어나는 모든 일에서 문제의 책임이나 처벌은 자신의 몫으로 생각하기 때문에 자신을 쓸데없고, 없어야 할 사람으로 착각하는 것이 가장 큰 문제다.

임상심리를 전공할 때 방학 때마다 정신과에서 실습을 하였는데, 우울신경증 환자들이 전기충격요법(electric shock therapy, E.S.T)을 가장 효과적이라고 하는 말을 들었는데, 이 또한 우울증 증상을 가진 사람들의 심리상태를 충격의 자극을 줌으로써 벌을 받았다는, 또는 책임을 다했다는 보상의 심리에서 나타난 효과라 할 것이다.

약물치료는 주로 항울제를 사용하고 있는 실정인데, 항울제란 대부분이 쉽게 말하면 흥분제이다. 수능시험 후 수험생들의 투신자살, 정신과 환자들의 자살은 대부분이 우울신경증 환자들이며, 현재의 경제적 어려움으로 자살을 택하는 사람들 모두가 현실을 피하고자 하는 마음에서 영구적 도피처로 자살을 택한다고 볼 수 있는 것이다.

이 우울증은 감정의 병으로 고통을 느끼기 때문에 고통을 덜어주고, 항상 자신을 아끼고 사랑하는 마음을 길러주며, 대화의 상대가 항상 주변에 있어 스스럼없이 마음을 열어놓고 대화를 할 수 있는 사람이 필요하다. 사람은 누구를 막론하고 장단점이나 못난 점은 모든 사람들이 갖고 있는 보편적인 특성이라는 사실을 이해하도록 도와주어 활발한 생활을 하도록 돕는다면 우울증을 퇴치할 수도 있다. 경중(輕重)에 따라 입원을 결정해야 하고, 심한 경우 입원치료가 필수적이지만, 경하다고 하여 방심하면 중증으로 쉽게 발전하므로 유의해야 할 것이다.

다양한 취미생활을 제공하여 집중해 보도록 하는 일, 대인관계를 넓혀주어 이웃과 어울리는 생활을 돕고, 자신보다 못한 사람들이 살아가는 현장을 경험하게 하는 일, 잠재된 자신의 능력을 마음껏 펼쳐보도록 해서 자신감과 용기를 심어주는 일, 작은 일이라도 실천하게 하여 성취감을 심어주는 일, 규칙적인 생활을 유도하여 생활에 활력을 심어주는 일도 이들을 치료하는 방법이 될 수 있다.

약물에 의존하지 않도록 하는 일도 중요하고, 고생과 고통도 나를 현재보다 더 훌륭한 사람으로 만들기 위해 절대적 신이 베풀어주는 기회라고 생각하도록 하면 오히려 고통과 괴로움은 훨씬 가벼운 마음으로 적응하기가 쉬울 것이다. "잘 나도 못 나도 나 자신이 제일!"이라는 자존감을 회복하는 일이 무어니 무어니 해도 가장 중요하다.

불안과 공포의 이해

사람들이 직업이나 하는 일 때문에 현실적응을 하면서 자연스럽게 또는 처음에는 가볍게 느끼다가 갈수록 그 정도가 점점 심하게 느껴지는 심리적 상태가 불안과 공포라는 문제이다. 학자들은 이러한 증상이 현실적응에 장애가 되어 활동이나 생활을 할 수 없을 정도가 되면 이는 성격장애를 넘어 신경증(노이로제 reurosis)의 상태로 보는 경향이 많다.

불안은 그 대상이 없기도 하고 있기도 하는 것이지만, 공포는 반드시 그 대상이 있다는 것이 차이점이다. 심리학에서는 인간이 갖고 있는 사회적 욕구 중 '안전'의 욕구가 좌절되거나 위험이 닥쳐왔을 때 개체 자신의 안전을 도모하라는 신호(signal)의 일종이라고 말한다.

불안(anxiety)을 일으키는 요인과 종류가 3가지 있는데, 그 하나는 현실적으로 당면한 어려운 문제에서 발생하는 현실적 불안 (reality anxiety)이고, 다른 하나는 도덕적·윤리적 또는 법적 문제에서 발생하는 것으로 그 잘못에 대한 처벌이나 책임을 져야 하는 데서 오는 도덕적 불안(morality anxiety)이며, 마지막 하나는 정신의 갈등으로 인한 신경증에서 오는 신경증적 불안(reurosis anxiety)이다.

현실적 불안은 상황에 당면한 문제가 자신이 해결하기에는 능력이나 물리적 힘이나 해결하기 위한 방법이 없다는 데서 오는 불안이지만, 당면 문제가 해결되면 이 불안은 사라지는 것이고, 도덕적 불안은 법을 어겼거나, 윤리·도의적 잘못을 저질렀을 때, 처벌이나 책임을 져야 할 때 두려움 때문에 일어나는 불안인데, 도덕적 불안도 처벌을 받든지 책임을 져서 그 문제를 해결하면 자연스럽게 불안이 사라지는 것이다. 신경증의 증상으로 오는 불안은 전혀 그 대상이 없고, 막연하게 불안하고 초조한 것으로 이는 심리적 갈등으로 인한 신경쇠약이나 정신력이 약하여 현실 적응을 두려워하는 심리상태에서 오는 불안이다.

이러한 불안의 종류로 볼 때, 현실적 불안이나 도의적 불안은 모든 사람들이 겪는 불안이므로 보편적이라고 할 수 있으나, 신경증적 불안은 정신장애의 증상이므로 상당 기간 심리치료를 적극적으로 받아야 불안에서 벗어날 수 있다고, 한국 정신의학계의 석학이신 이동식 교수가 주장한다.

공포는 개체가 외부의 뚜렷한 대상으로부터 받는 자극으로 두려움이나 불안을 느끼는 마음상태가 될 때 긴장이 심하고, 식은

땀이 나며, 얼굴이 붉어지고, 맥박이 빨라지면서 적면(赤面)이 되어 어찌 할 줄을 모르는 마음의 상태가 공포의 증상이다. 겁이 많은 사람은 대부분 이러한 공포에서 출발하며, 이 두려움 때문에 현실적응이나 생활을 하는 데 지장이 초래된다면 공포신경증에 이른 것으로 볼 수 있다.

이러한 상태가 되면 공포의 대상이 자기보다 물리적 힘이나 능력, 연령, 체격이 작은데도 공포심에 짓눌려서 꼼짝달싹 못 하는 지경이 되는 것이다. 공포의 대상은 사람, 장소, 동물, 질병, 환경, 높은 곳 등으로 다양하고 많다.

이러한 불안과 공포를 느낄 때, 우선적으로 해야 할 일은 불안과 공포의 정체를 파악하는 일이다. 내가 겪는 불안과 공포가 보편적인지, 아니면 특별하게 나만 겪는 마음 상태인지 파악하기 위해서는, 임상 심리전문가에게 가서 종합적인 심리진단검사를 받아보고, 분석 결과를 토대로 하여 해결할 길을 결정하는 것이 가장 현명한 방법이다.

무엇보다 중요하게 생각할 일은 이러한 불안과 공포를 해결하는 방법이다. 쉽게 생각하면 불안하고 두려우니까 우선 피하고 보자는 마음으로 도피적 방법(avoid method)을 택하기 쉬운데 이는 매우 좋지 않은 해결책이다.

그런데 다소 불안하고 두려움이 생기더라도 직접 부딪치는 접근 방법(approach method)을 택하는 행동을 되풀이하는 것이 이러한 증상에서 벗어나는 지름길이다.

예를 들어 보자면 운전면허를 따고, 시내로 자동차를 몰고 나가 시운전해보면 첫날은 불안하고, 두려움도 생기고, 긴장이 되어 땀을 많이 흘릴 것이다. 다음날, 그 다음날 계속 몰고 나가서 되풀이하여 운전을 하면, 처음에 느끼던 불안과 긴장, 두려움의 강도가 100이던 것이, 운전하면 할수록 늘어나는 것이 아니라 줄어든다.

강도가 범법을 하는 경우에도 처음에는 불안하고 심장이 콩닥콩닥 뛰던 것이 재범, 삼범을 하게 되면 그런 증상은 사라지고, 대담해져서 전과자가 되는 것과 같이 되풀이(repeat) 행동하는 빈도가 많아질수록, 불안과 공포의 심리상태에서 벗어날 수 있다. "도망 다니지만 말고, 부딪쳐라. 그러면 길이 열린다."는 말은 진리 중의 진리다.

꿈(Dream)의 바른 이해

　우리는 새해를 맞을 때마다, 한 해의 운세나 앞날의 운명을 알아보기 위해 토정비결을 보거나, 사주팔자를 알기 위해 철학관을 찾거나, 점쟁이나 무녀들을 찾아가 적지 않은 돈을 허비한다. 유교(儒敎) 경전의 뿌리라 하는 주역이나 이지함의 토정비결 등도 64괘를 토대로 하여 만든 통계학적 이론에 불과하기에, 60억이 넘는 지구상 인구로 볼 때, 개개인의 운명이나 팔자가 각자 달라야 하는 것이 원칙이지만, 사실은 그렇지 못하고 운명이나 팔자가 똑같은 사람들이 부지기수이기에 하는 말이다.

　또 우리는 일상생활을 하면서 '꿈'을 꾸게 되면, 이 꿈이 하루나 미래를 예시해주는 것으로 착각하여 복권을 사거나, 요행을 바라는 일이 허다하고, 꿈 때문에 불안해하거나 초조해하는 일이 얼마나 많은가?

　꿈이 우리가 지금까지 믿어왔던 신념과 같은 것이고, 꿈이 나의 하루 운명을 바꾸는 신비한 힘을 갖고 있는지 알아야 할 과제이다. 그러면 왜 꿈을 꾸는지, 원인이 무엇이며 해석은 어떻게 하는지 알아볼 필요가 있을 것이다.

꿈이란 무엇인가?

꿈은 수면(睡眠) 상태에서 일어나는 일련의 시각적 심상(心象)으로, 청각, 미각, 후각, 운동감각의 현상을 생시(生時)와 마찬가지로, 여러 가지 현상을 경험하는 일이라 할 수 있다. 깨어나서 기억할 수 있는 꿈을 회상몽(回想夢)이라 하고, 이때 일어나는 표상(表象)과정을 '꿈 의식'이라 하며, 깨어나서도 기억할 수 있건 없건, 그 내용들을 '꿈의 내용'이라 한다.

꿈은 반드시 잠을 잘 때 일어나는 것으로, 잠[睡眠]이라는 것을 연구한 학자들에 의하면, 네 단계로 나눠지는데, 1, 4단계를 REM(Rapid Eyes Movement)의 단계라 하고, 2, 3단계를 NREM(Non-Rapid Eyes Movement) 단계라 한다.

꿈은 REM의 단계에서 꾼다고 하였으며, 이 단계는 잠 자기 직전의 4~5분간, 깨어나기 직전 4~5분간에 발생한다고 하였으니, 밤새 꿈을 꾸었다는 말이나, 꿈 때문에 잠을 한숨도 못 잤다는 말은 신빙성이 없다고 하겠다.

꿈은 왜 꾸며, 원인은 무엇인가?

꿈을 왜 꾸는가? 이 문제로 여러 학자들이 많은 연구를 하였으나, 정신분석의 창시자로 꿈 분석의 석학인 프로이트(S. Freud)는 다음과 같은 주장을 하였다.

첫째, 신체의 내외(內外) 자극에 의하여 꿈을 꾼다고 하였다. 내적 자극으로는 신체 내부의 통증이나 고통을 동반한 자극을 받을 때 그로 인하여 꿈을 꾼다는 것이고, 외적 자극은 오(五) 감각(感覺)기관을 통한 자극을 받을 때 꿈을 꾼다고 하였다.

둘째, 최근에 경험한 내용이나 체험한 내용들이 꿈으로 되살아 나타난다고 하였다. 꿈 내용이 2~3일 전 경험하거나 체험한 사실들이라는 것이다.

셋째, 장래의 소망이나 바라는 일들이 꿈으로 승화하는 현상으로 나타나는 것이라고 하였다.

넷째, 좌절된 욕구의 승화 현상으로 나타난다고 하였다. 이때 나타나는 꿈이 정신분석의 대상이며, 이 꿈을 분석하는 일이 곧 정신치료의 핵심이라고 주장하였다.

이 꿈은 좌절된 욕구를 비현실적인 꿈에서 성취시킴으로써 현실에서 좌절된 욕구를 성취시키는 일로 하여 심리적 안정을 바라는 현상이라 하였다.

이상의 네 가지 꿈의 원인은 현재, 심리학자나 정신의학에서도 인정을 하는 것이다. 프로이트의 『The complete psychological works of Sigmund Freud』 24권의 저서 중에서 3~4권이 꿈 해석에 대한 내용을 담고 있다. 그는 꿈 분석이 무의식을 열 수 있는 열쇠라고 하였다. 그는 꿈 때문에 대학자가 된 셈이다.

정신의학에서 정신분석을 할 때는 자유연상을 이용하여 하거나, 최면 분석을 이용하여 하기도 하며, 마지막으로는 프로이트같이 꿈 분석을 통해서 하는데, 정신과 의사들이 가장 많이 활용하는 방법이 정신분석법이다.

꿈의 해석을 어떻게 할 것인가?

꿈을 해석하는 문제는 중요한 의미가 있다. 꿈 해석에 대한 여러 책들이 나와 있는데, 토속적 샤머니즘이나 미래 예시적인 측면의 해설, 심리학적 해석으로 구분해볼 수 있다. 심리학적 입장에서는 꿈의 원인을 과거(過去)로 보지만, 토속적 신앙의 입장에서는 미래 예시적(豫示的)으로 보고 해석을 한다. 점쟁이들이나 철학관을 하는 사람들도 똑같이 예시적 해석을 하는 것을 원칙으로 하는데, 이는 믿을 바가 못 된다.

복권에 당첨된 사람들이 듣기 좋은 말로 돼지꿈을 꾸었다고 하나, 그 말은 신뢰성이 너무도 미약한 것이다. 한국 인구가 4천만이라고 할 때, 하루에 돼지꿈을 꾸는 사람들이 4만 명을 넘는다는 사실이다. 돼지꿈이 아니라 다른 꿈을 꾼 사람들이 더 많이 당첨된다는 사실도 돼지꿈이 믿을 바가 아니라는 반증이다.

성서『다니엘서』도 모두 꿈의 내용이 중심을 이루고, 해석 또한 미래 예시적이다. 일생동안 꿈 연구를 하고, 여러 권의 꿈 관련 책을 펴낸 한건덕 선생도 종교인이기 때문에 예시적 해석을 하고, 이론을 펴고 있으나, 이는 꿈의 바른 이해에서 이뤄진 것이라기보다는 신앙심에서 출발한 결과라 할 수 있다.

프로이트는 꿈을 왜 잊어버리느냐는 질문에 "중요하지 않으니 잊어버린다."라고 대답하였다.

정신이 건강한 사람은 기억하는 꿈보다 잊어버리는 꿈이 많고, 정신이 건강하지 못한 사람은 중요하지도 않는 것을 너무도 크고 중요하게 생각하는 고착(固着)적인 면을 갖고 있어서 생생하게 꾼 꿈을 기억한다는 것이다.

그래서 꿈은 그 사람의 현재적 심상의 표현이 나타난다고 보면 무리가 없을 것 같다.

그런데 요즈음 와서 이런저런 인터넷 사이트에 자기가 꾼 꿈이 어떤 내용인지 해몽(解夢)을 원하는 사람들이 많은 것을 볼 때, 이런 현상은 돼지꿈 따위를 믿고 그에 따라 돈벼락을 맞을지, 아니면 괴상한 꿈을 꾸어 사고나 어려움을 당하지나 않을지 불안한 마음을 안정시키려는 답답한 심리에서 나온 행태라고 생각할 수 있는 것이다.

한 마디로 말한다면 "꿈을 믿지 말라!" 꿈을 믿으려는 습관은 우리의 생활이 나도 모르게 오랜 토속적 신앙에 젖어 살아온 삶이기 때문에 마음이 솔리는 것이고, 믿고 의지하려는 태도 때문이다. 그것뿐 아니라 철학관이나 점쟁이를 찾아가서 물어보는 일도 아무 소용이 없다는 사실도 강조하고 싶다.

정신의학에서는 꿈을 과거의 문제로 보고 해석을 한다. 그러므로 꿈의 해석으로 깊은 무의식에 잠재되어 있는 욕구불만의 갈등을 해소하여, 마음에 쌓여 있던 정신적 장애요인을 제거 하고자 하는 목적이 있는 것이다.

알코올 중독

　직접적이든 간접적이든 알코올 섭취와 관련되며, 특징적으로 알코올에 대한 내성, 신체적 의존성과 신체기관의 병적인 변화를 보이는 만성적인 질병으로 진행성일 뿐만 아니라 잠재적으로 치명적인 상황을 예고하는, 술에 의하여 생기는 질병이다.

　질병이라는 말이 의미하는 것처럼 알코올 중독증을 앓는다는 것은 도덕적으로 타락했다는 것을 뜻하는 것도 아니며, 자신의 의지만으로 해결될 수 있는 것도 아니다. 자꾸 술이 마시고 싶거나 술을 마시지 않으면 안 될 것 같고, 일단 술을 마시면 스스로의 의지로는 마시는 술의 양이나 술 마시는 시간을 조절할 수 없다면 반드시 알코올 중독증을 의심해 보아야 한다.

알코올 중독의 원인

　①유전 : 일부 사람은 유전적으로 알코올 중독에 더 걸리기 쉬우며, 알코올 중독의 가족력이 거의 절반을 차지한다. 현재로서

는, 알코올 중독에 대한 생리적인 취약성이 존재한다고 생각된다. 유전적 성향을 많이 받은 사람은 20대에 알코올 관련 장애를 갖지 않은 사람의 자식에 비해서 알코올의 효과에 둔하다. 다시 말해 술에 잘 취하지 않는 편이다.

②성격 : 반역 기질, 지나친 감각 추구 성향, 불일치, 잦은 탈선, 권위에 대한 도전, 독립을 향한 지나친 요구, 자존감 저하, 조절 능력 상실감을 지닌 사람에게서 많이 나타나는 질병이다. 술은 이러한 사람들에게 일시적으로 성취감, 해방감, 전능감의 효과를 준다.

③사회적 능력 : 사회적·경제적·문화적으로 열악하거나, 그렇다고 생각하는 사람들은 사회적 능력 면에서 소외된 느낌을 갖고 있기 때문에 환경 적응이 잘 안 되는 것으로 생각하고 좌절에 빠져서 스스로 무능력자로 인식하기에 문제가 된다.

④심리적 요인 : 불안을 경감시키기 위해, 특히 초자아가 강해 자기 징벌의 욕구가 있을 때 (구강기 고착), 알코올과 같은 물질을 구강으로 먹으면 불안이 감소하고 힘을 지니게 되며 자신감이 올라간다고 느낀다.

⑤다른 질병과 동반 : 우울증, 반사회성 인격 장애, 물질 장애, 불안장애, ADHD(주의력결핍 과잉행동 장애), 품행 장애와 병행하여 나타난다.

알코올 의존에 의한 증상

①알코올과 관계된 다른 범죄를 보면 살인(49%), 살인청부 (68%), 자살(20~30%), 강간(52%), 아동학대살인(38%) 등이 알코올과 관련이 있고, 보행자 사망자의 약 50%가 음주운전으로 인한 사고 때문이다.

②신체적 기관 손상도 나타난다. 간, 심장, 섬망, 치매, 식도, 위, 혈압, 암, 영양결핍, 췌장, 폐렴, 간질, 성기능 저하, 두개골 손상, 골절, 결핵, 기억력 저하 등도 수반한다.

③심리적 후유증으로 분노, 불안, 우울증, 환각, 의심, 자살, 다른 약물 복용, 죄책감 등이 나타난다.

④사회적 기능 손상으로 교통사고, 가족 내 문제, 사회적 고립, 직업능력 상실, 법적 문제가 발생하여 어려움을 겪기 때문에 사회적 역할을 수행할 수 없는 상태에 빠져서 노숙자 생활을 하

거나 방랑생활을 하게 된다.

⑤술과 관련된 일반 증상으로는 운동 조절능력 상실, 기억 상실과 진전, 판단력 저하, 위염, 그리고 신체기관 손상을 입거나, 수전증 등 알코올로 인한 신체적 증상이 나타나 고통을 당하며, 정상적인 육체의 활동을 할 수 없는 경우가 발생한다.

⑥술을 들이부을 때 나타나는 증상으로는 판단력, 운동능력, 기억력 등이 저하하는 현상이 나타나고, 술을 줄이거나 멈추고 나서 생기는 증상으로는 진전(떨림), 불안, 자율신경 과민, 기립성 저혈압, 우울감 및 짜증스러움, 위염, 몸살기 등이 나타난다.

⑦섬망(delirium)은 술을 많이 먹던 사람이 술을 끊거나 줄이고 나서 일주일 이내에 발생하는 기질성 환각증상(organic hallucinosis)인데, 주로 환청을 경험한다. 간질이나 알코올성 기억 장애, 경도의 인지기능 저하를 보이는 치매가 나타나기도 한다.

알코올 중독 자가진단

1. 자기 연민에 빠져 이것을 술이나 약으로 해결하려 한다.
2. 혼자 술 마시는 것을 좋아한다.

3. 해장술을 마신다.

4. 취기가 오르면 계속 마시고 싶은 생각이 지배적이다.

5. 술을 마시고 싶은 충동이 생기면 참을 수 없다.

6. 최근 6개월 동안 2번 이상 취중의 일을 기억하지 못하다.

7. 대인 관계나 사회생활에 술이 해롭다고 느낀다.

8. 술로 인해 직업 기능에 상당한 손상이 있다.

9. 술로 인해 배우자나 보호자가 나를 떠났거나 떠나겠다고 위협한다.

10. 술이 깨면 진땀, 손 떨림, 불안, 좌절 혹은 불면을 경험한다.

11. 술이 깨면 공포, 몸 떨림, 헛소리, 환청, 환시를 경험한 일이 있다.

12. 과거에 술로 인해 생긴 문제(골절, 창상)로 치료받은 적이 있다.

위에 제시한 12개 질문에서 3개 이상 "예"라고 대답하는 경우 알코올 중독일 가능성이 높고, 4개 이상 "예"라고 할 경우 알코올 중독 상태로 인정할 수 있다. 특히 불안이나 공포 등 금단증상을 나타내는 11번이나 12번 문항에 해당하는 사람은 다른 문항의 결과와 관계없이 알코올 중독으로 진단하는 것이 좋다.

알코올 중독 치료

알코올 치료는 치료 환경이나 장소에 따라 외래치료, 부분입원 (낮, 밤 병동), 입원치료, 사회복귀 주거시설, 퇴원 후 사후관리 프로그램, AA 등이 있고, 크게 정신사회적 치료와 약물치료로 구분될 수 있다. 치료 양식의 선택에 있어 환자 개인의 치료적 욕구, 특성, 질병의 심한 정도, 가족 사회문화적 환경, 재정 등에 맞는 맞춤치료를 하는 것이 좋다.

자폐아동

집에서 할 수 있는 체크리스트 개발

대전에 사는 33개월 된 남자 아이인 김군은 엄마가 뽀뽀하려 하거나 물건을 가리켜보라고 해도 전혀 반응이 없다. 이밖에도 그 또래가 하는 '필요한 물건을 가리키며 요구하기', '엄마와 함께 웃기' 등 대부분의 행동을 하지 못했다. 병원에서 진단받은 결과 중증 자폐아로 나타났다. 이 아이는 병원에서 진단받기 전 집에서 '자폐아 진단 체크리스트' 10개 항목 중 2개 항목에서만 점수를 받았다. '엄마와 눈 맞추기', '엄마의 말에 따라 장난감으로 노는 시늉' 외에는 여덟 가지 항목의 행동에 대해 반응이 없었다.

이 진단표는 을지의대 간호학과 임숙빈 교수팀이 수년간의 연구 끝에 개발해 14일 발표한 것이다. 임 교수의 진단표는 전문지식이 없는 부모도 손쉽게 사용할 수 있어 자폐아의 조기 발견과 교육에 활용할 수 있을 것으로 보인다.

임 교수는 "자폐아의 주요 특징인 다른 사람의 마음을 이해하는 능력 부족, 남의 행동을 따라하지 못하는 것과 같은 행동장애를 진단표의 주요 항목으로 삼았다."며 "진단표 상에서 자폐아동과 정상 아동 간에 명확하게 차이가 나는 시기는 생후 18개월쯤으로 나타났다."고 말했다. 다시 말해 18개월 이상의 아동을 대상으로 사용하면 비교적 정확하게 진단할 수 있다는 것이다. 진단표는 유아들이 부모의 행동이나 말에 어떤 반응을 보이는지 알아보도록 만들었다. 예를 들면 '아이가 엄마와 눈 맞춤을 한다.' '엄마가 말하는 물체를 손가락으로 가리킨다.' '엄마가 웃으면 따라 웃는다.' 등이다. 이는 대부분의 정상 아동이 보이는 행동이지만 자폐아는 그렇지 않다.

진단표에는 항목별로 아이가 반응을 보이면 1점, 그렇지 않으면 0점을 매긴다. 임 교수의 연구에 따르면 10개 항목에서 7점 이상을 얻지 못하면 자폐를 의심해야 한다. 자폐아 대부분은 2~3개 항목에서만 반응을 나타낼 뿐 나머지 항목에서는 무관심하거나 무표정한 반응을 보인다는 것이다. 이 진단표를 활용해 160명의 아동을 대상으로 조사한 결과 자폐아로 의심되는 아동의 상당수는 10개 항목 중 2~3점을 받는 데 그쳤다.

자폐아는 대부분 선천성이다. 뇌신경 계통의 이상으로 의사소통이 잘 안 되며, 주위가 산만하거나 자해하는 등의 증상을 보이는 심각한 질병이다.

보건 당국에 따르면 우리나라에는 인구 1만 명당 10명꼴인 5

만여 명이 자폐증으로 고통을 받고 있는 것으로 추산된다.

자폐는 조기 발견이 대단히 중요하다고 전문가들은 지적한다. 그래야 조기 치료를 통해 사회성을 키우고, 남의 행동을 이해하도록 하는 등 발달장애를 최대한 고칠 수 있다는 것이다. 나이가 들수록 뇌가 굳어 치료 효과를 거두기가 그만큼 어렵다.

소아기 자폐의 효과적인 치료방법

소아기 자폐는 아동의 대인관계 형성의 장애, 언어와 의사소통의 장애, 그리고 동일성의 유지와 특이한 반복적인 행동 등을 특징으로 한다. 자폐 성향이 보이는 유아는 어머니와 눈을 맞추지 않는다거나 소리를 들을 수는 있으면서도 고개를 돌려 쳐다보지도 않는다. 안아 주어도 좋아하지 않거나 오히려 어머니를 밀어내려고 한다. 주변의 사람들에게 관심을 보이지 않고, 어머니가 주변에 없어도 불안해하는 반응을 보이지 않는다.

놀이방이나 유치원에 가면 친구들에게 관심이 없고 혼자서만 논다. 이런 자폐적 성향을 간직한 채 성인이 되면 이성 관계에서 공감을 형성하지 못하고 정상적 결혼이 이루어지기 힘들다. 또 다른 자폐아의 큰 특성 중 하나는 언어 발달의 지연이나 무산이다. 언어를 구사하지 못하거나, 말의 의미를 적절하게 이해하지 못하므로 나이가 들어 어느 정도 언어의 발달이 일어나더라도,

정상적인 대화는 어려운 경우가 많다.

대인관계 형성의 장애와 언어 장애와 더불어 행동 상에서도 장애를 보이는데, 자폐아동들은 놀이가 아주 단순하며, 기계적인 양상을 띤다. 일렬로 배열을 한다거나, 같은 색깔로만 모아 두며 이것이 흐트러졌을 때는 아주 불안한 반응을 보이기도 한다. 중기 소아기가 되면 강박적 행동, 자해적 행동, 상동적 행동(같은 행동을 계속적으로 반복하는 것)도 보인다.

자폐아동들에게는 체계적인 특수교육과 행동수정 치료를 해주어야 하며, 심한 행동을 보이는 경우에는 약물 투여를 시도할 수도 있다. 또한 가족 치료를 통해 가족의 고통을 덜어주는 것도 아동의 치료에 도움이 된다.

①특수교육과 행동수정 치료

자폐아동의 치료는 아동상담소, 자폐아동연구소, 소아정신과, 일부 사회복지관 등에서 실시하고 있다. 이런 곳에서는 광범위한 발달의 장애와 행동상의 문제를 다루어 치료를 시행한다. 좀더 초기에, 지속적으로, 강력하게 교육이 이루어져야 하며, 잘 짜이고 계획된 교육 프로그램을 실시하여야 한다. 또한 아동의 강박적 행동, 자해적 행동, 상동적 행동을 긍정적 행동으로 바꿔주기 위해 행동치료를 시행한다.

②약물 치료

행동상의 문제가 행동치료만으로 잘 바뀌지 않는 경우에는 급성 치료 방식으로 충동적인 행동, 상동적인 행동에 대해 할로페리돌(haloperidol), 자해적인 행동에 대해 날트렉손(naltrexon) 등을 투여할 수 있다. 경련성 질환이 동반된 경우에는 항경련제를 반드시 투여하여야 한다. 경련이 반복적으로 일어나면, 뇌에 장애적인 요인으로 작용하기 때문이다.

③가족 치료와 부모 치료

가족 치료와 부모 치료 역시 자폐아동의 치료를 맡고 있는 곳에서 함께 받을 수 있다. 자폐아동을 가진 부모는 죄책감, 슬픔, 희망 상실 등을 경험할 수 있다. 이는 부모 당사자들뿐 아니라 아동의 치료에도 나쁜 영향을 미칠 수 있다. 따라서 우선 심각한 장애아를 가진 부모의 정서적인 문제를 다루어 주어야 하며, 죄책감 등을 덜어주어야 한다. 질병에 대한 교육을 실시하여, 집안 내에서 아동을 어떻게 다루어야 하며, 어떤 환경을 만들어주어야 하는지 교육하는 것도 중요한 과제다.

불면증(Insomnia)

  사람들은 일생동안 3분의 1의 시간을 수면으로 사용한다. 수면을 통해 체온을 조절하고, 중추신경의 향상성을 회복시켜주며, 에너지를 저장시키고, 감각과 부하된 뇌로부터 부적절한 기억을 제거시키며, 피로 회복과 육체나 정신을 휴식케 하는 기능을 가지고 있다. 그럼에도 많은 사람들이 이처럼 귀중한 수면을 자연스럽게 취하지 못하거나, 어려움을 겪으며 고생하는 불면증에 시달리고 있는 것도 사실이다.

  이러한 불면증은 입면 장애, 수면 유지 장애, 그리고 조기 각성의 장애로 나누기도 한다. 입면 장애는 잠들기가 어려워 30분 이상의 시간을 소모하는 경우를 말하며, 수면 유지 장애는 하룻밤에 잠을 자다가 깨어나는 회수가 5회 이상이며, 깨어 있는 상태의 시간이 30분 이상 지속되는 것을 말하며, 조기 각성은 6시간 이상의 수면 부족 상태를 겪거나 깨어나면 다시 잠들기가 어려워 잠을 잘 수 없는 상태를 말한다.

  한의학에서는 수면의 기전을 기(氣)의 운행으로 설명하고 있으며, 심리학에서는 생리적 욕구로 보고, 육체의 보존과 유지를 위한 평형상태를 유지하려는 작용으로 육체가 필요한 만큼 저절로 채워주는 활동으로 보고 있다.

예를 들자면 인체는 일정한 수분을 항상 유지하여야 하나, 고온, 운동, 소변 등으로 수분을 배출하여 기준 이상을 유지하지 못할 때, 기준 상태로 환원하기 위해 갈증을 일으키고, 갈증에 의해 사람들이 물을 마시게 되는 현상과 같다고 한다. 이러한 점을 이해하는 마음을 가진다면 불면증을 반으로 줄이거나 해결할 수도 있을 것이다.

수면을 얼마만큼 취해야 하는지에 대해서는 의견이 다양하나 개체의 특성과 생활, 정신 상태에 따라 4시간의 수면으로도 아무런 장애를 느끼지 못하는 사람이 있는가 하면, 8시간 이상을 꼭 자야만 하는 사람, 10시간 이상을 늘 자고도 활동에 이상을 느끼는 사람 등 많은 격차가 있는 것도 사실이다.

그런데 학자들은 대체로 수면은 연령과 밀접한 상관관계가 있다는 주장이 맞는 이론이라고 말한다. 신생아는 13~20시간, 아동기는 13시간, 청소년기는 8.5~9시간, 장년기는 8시간, 나이가 많은 노인들은 평균보다 적게 자는데 6시간 내외라고 한다. 이러한 기준에서 많은 차이가 나는 수면을 취할 때, 수면의 장애로 보는 것이 좋을 것이다.

불면증의 원인으로는 대체로 소음, 외부환경의 자극이나 변화,

신체적 질병, 뇌의 기질적 장애, 정신분열증이나 정신질환, 알코올 중독이나 약물중독 등을 꼽는다.

학자들에 따르면 수면에는 Rem(Rapid Eye Movement)의 단계와 NRem(Non-Rapid movement)단계가 있는데, 모두 4단계로 나누어지며, 1단계와 4단계는 Rem단계이며, 2단계와 3단계는 NRem단계라 하여 Rem 단계에는 눈동자가 매우 빨리 움직이는 활동을 하는 시간으로 수면 직전과 각성 직전에 해당하고, NRem단계는 눈동자가 움직이지 않고 고정된 상태로 깊은 수면에 빠진 상태이다. 우리가 수면할 때 꿈을 꾸는 것은 Rem 단계에서만 일어난다고 하니, 밤새도록 꿈을 꾸었다는 말은 거짓말이 되는 셈이다. 1-4단계의 수면이 밤사이에 4~6회 되풀이되며 주기를 이루어 수면이 된다고 한다.

불면상태가 오랫동안 지속이 되어 고생을 하다가 치료를 받거나, 치료를 받아도 쉽게 해결할 수 없어서 고생을 하는 것이 불면증이며, 수면제를 복용해서라도 잠을 자려고 야단을 하는 것이 불면증 환자들의 실정이다.

이러한 불면증에 빠져서 고생을 하는 경우가 많지만, 조금만 우리의 생활이나 습관을 바꾸면 잠 들기가 어렵던 불면증을 쉽게 해결할 수도 있다. 매일 일정한 시간에 자고 일어나는 것이 첫 번째 원칙이다.

잠 자기 전에는 먹지 마라.
카페인이 들어있는 음료수를 마시지 마라.
침실을 수면장애가 발생하지 않도록 꾸며라.
낮잠을 자지 마라.
수면제를 복용하지 마라.
자기 30분 전 따뜻한 물에 목욕을 하라.
자다가 일어났을 때 시계를 보지 마라.

그리고 가장 핵심적인 해결법은 다음과 같다.
잠을 못 자거나 잤다고 걱정을 하지 마라.
꼭 잠을 자야 한다는 강박적 생각을 하지 마라.
오면 오는 대로 자고, 안 오면 자려고 애를 쓰지 마라.
있는 그대로의 상태를 인정하고 그대로 놔 두어라.

육체가 필요한 만큼, 저절로 채워 주는 게 잠인데, 왜 억지로 자려고 하는가? 잠을 자서 버리는 시간을 잘 이용하면 남보다 앞설 수 있는데, 아까운 시간을 잠자는 데 허비하려고 악을 쓰는 일이 바른 짓인가? 자야지 하는 생각이나, 더 자야지 하는 생각이나, 못 자면 큰일이라는 생각을 버려야 한다. 그런 강박적 생각이 불면을 일으키는 원수이다.

로카쇼쿠라

사람들은 자신이 체험한 좋지 못한 경험들 때문에 어떠한 지명이나 사람, 장소 또는 사건이나 명제의 개념들을 생각할 때, 증오하거나 공포에 시달리거나 불안을 느끼거나 정서적 불안을 겪는 일이 많다. '아우슈비츠'가 그렇고, '테러'가 그렇고, '히틀러'나 '전쟁'이라는 단어들도 우리의 마음을 괴롭게 하는 개념들이다.

'로카쇼쿠라'라는 지명도 이와 같은 말이다. 로카쇼쿠라는 일본 아오모리 현에 위치한, 핵 연구소가 있는 곳이다. 현지 거주자들의 말로는 농사를 짓지도 못하고, 가축도 기를 수도 없으며, 인구 유입도 허락되지 않고, 엄격히 감시를 하는 제한된 구역이라 인구가 줄어들고 유입되는 사람들은 핵과 연관된 근무를 위해 들어오는 사람들뿐이라고 한다.

왜 이렇게 특별구역으로 정해 감시와 통제를 하느냐 하면, 이곳은 사실상 일본의 핵폐기물 저장소, 핵폐기물 재처리공장, 핵의 연구를 위한 위장 연구소와 핵을 이용하기 위한 핵 콤플렉스 단지이기 때문이다.

최근에는 한국에서도 핵폐기물 저장소를 정하기 위해 많은 노력을 하였으나, 환경보호단체들의 반대에 부딪쳐 애를 먹다가, 가까스로 경주 지역으로 결정이 되었다.

유치활동을 주관한 단체나 정부기관에서는 국민의 혈세를 낭비하면서 로카쇼쿠라를 견학하도록 하였으나, 답사하고 그곳에서 알아온 것들은 진실한 내용은 하나도 없고 수박 겉핥기식으로 여행만 즐기고 온 셈이 되었다.

그래서 환경보호단체에서는 한창 방폐장 유치 경쟁이 치열할 때, 현직 로카쇼쿠라 시의원인 야미다 가요히꼬(48)를 초청하여 이 지역의 음모와 사기극의 전모를 알린 바 있었으나, 언론이나 방송매체는 보도조차 하지 않고 국민들의 눈과 귀를 막은 파렴치한 짓들을 정부는 서슴없이 하였다.

핵 3원칙을 받아들인 일본 수상 사또 에이사쿠(1974)는 노벨평화상을 받았으나, 핵폭탄을 맞고 항복한 일본이 핵 재처리공장을 세워 2005년 이후 가동하려는 것은 그냥 넘길 일이 아니다. 그리고 일본이 2차 대전 패배 후 헌법으로는 재무장을 하지 못하도록 하여, 군을 창설하지 못하게 되어 있었으나, '전쟁을 할 수 있는 나라'란 명목으로 막강한 군대를 가지기 위해 헌법을 개정하려고 하면서 엄청난 국방비를 지출하여 막강한 무기를 개발하고 자위대를 유지하며, 외국 파병까지 하는 것을 볼 때 이들의 속셈을 알 만하다.

이러한 일본의 움직임으로 미뤄볼 때 이는 핵무기를 갖겠다는 속셈을 드러내는 일로 보아야 할 것이다. 현재 세계적으로 핵 재처리를 적극적으로 추진하고 있는 나라는 영국, 프랑스, 일본뿐이며, 독일, 스웨덴, 스위스, 이탈리아 등은 영국과 프랑스에 재처리를 위탁하여 핵 원료로 재활용하고 있는 실정이다.

일본은 1977년부터 '도카이' 재처리공장에서 재처리를 하다가 1997년 화재로 중단되었고, 외국에 재처리를 위탁하고 있는 상태다. 1993년 4월부터 로카쇼쿠라에 상업용 재처리 공장을 건설하여 2005년 이후 재처리를 시도하려고 혈안이 되어 있는 실정이다. 일본이 재처리를 시작하겠다는 이유는 상업용이 아니라 핵무기 보유이며, 재처리로 생산되는 '플루토늄'은 적성국가나 국제 테러단체에 흘러갈 위험이 상존한다.

왜냐하면 돈이라면 안 하고 못 하는 짓이 없는 것이 일본 놈들의 속성이기 때문이다.

현 시점에서 볼 때 핵발전소는 환경보호와 위험 때문에 건설을 자제하고 있지만, 가동 중인 핵발전소도 문제가 발생하면 폐쇄하는 마당에, 재처리로 나오는 연료를 구매할 나라도 없는데 재처리공장을 건설한다면 상업용이 되겠는가? 일본은 분명 핵 개발을 서두를 것이며, 평화적 이용을 하려는 것이 아니라, 핵 무장을 하겠다는 분명한 의지가 담겨 있다고 할 수 있다.

현재 IAEA나 유엔, 미국 등이 핵 확산금지를 위해 엄격한 감시와 제재를 가하는데도 이란이나 북한에 대한 미국의 태도를 볼 때 한심하기 짝이 없다. 이런 나라는 분명 핵무기 보유가 목적이지, 다른 평화적 이용을 위한 목적이 아니다. 일본 역시 재처리 공장의 건설은 핵무기 보유를 위해서지, 핵발전소 연료로만 재활용하기 위해서가 아니란 점이 명백해 보인다. 이란과 북한에 대한 감시나 태도는 엄한데도, 일본에 대해서는 남의 집 불 구경 하듯 느긋한 미국의 작태는 도저히 용서할 수 없는 배신감마저 일으키게 한다.

현재 일본 국우파의 난동에 가까운 활동으로 보거나, 막강한 무력을 갖기를 원하는 행태나, 독도를 일본 땅이라고 억지를 부리는 작태도 그냥 넘길 일이 아니다. 2차 세계대전의 도발국가인 일본이 아시아에 입힌 피해의 보상이나 사과 등은 외면한 채, 전범들의 사당 야스쿠니신사 참배를 고집하는 까닭도 재무장의 목표와 다를 바 없다. 그들은 애국심이라지만 피해 당사국들은 피가 거꾸로 솟는 분노를 느끼게 마련이다.

이런 로카쇼쿠라를 그냥 보고만 넘길 것인가? 그린피스(Green peace)를 비롯한 환경보호단체와 더불어 이러한 일본의 본색을 밝히기 위해 정부도 책임 있는 자세로 줄기차게 확산 반대 운동을 전개해야 할 때다.

트라우마(Trauma)

트라우마란 일반적인 의미에서 보면 외상(外傷)을 뜻하는 의학적 용어인데, 정신의학이나 심리학에서는 영구적인 정신장애를 일으키는 정신적 외상의 원인이 되는 충격이나 스트레스를 의미하고, 후자의 의미로 더욱 널리 사용되고 있다고 볼 수 있다.

트라우마는 선명한 시각적 이미지를 동반하는 일이 많고, 이러한 이미지는 장기간 기억으로 남아 사건이 일어난 그 당시의 환경과 같을 때, 정신장애 증상을 나타내는 기억으로 되살아나는 것이다. 어떤 특별한 환경에서 발생한 스트레스, 정신적 충격을 받은 장소나 환경, 사람, 작업 등은 사고 당시와 비슷한 상황이 되었을 때, 심리적 불안을 느끼거나 공포를 느끼는 강도가 주체할 수 없는 상태로 강해지기 때문에 정신장애 질병의 상태로 나타나게 된다.

사람은 사회활동을 하면서 크든 작든 타인에게 스트레스를 받게 하거나, 충격을 주어 정신적 갈등을 입히며 살아가고 있다. 교통사고, 강·절도, 학교에서의 왕따, 여성이 강간을 당하는 경우와 같은 실제 사건의 상황이 경험의 기억으로 남아, 현실적응에 장애물로 작용하는 경우가 많고, 정신장애의 증상으로 나타난다. 그래서 정상적인 감정이나 정서의 표현이 되지 않아 생활에 문제가 생기거나, 정신력의 강약 조절이 잘 안 되는 불균형의 상태가 되는 것이다.

이것이 자율신경의 교감신경계와 부교감신경계 간의 불균형을 초래하는 근본 원인이 되는 것인지도 모른다.

이런 불균형을 조절하여 균형을 맞추기 위해 정신의학계에서는 약물을 투여해서 다스리도록 권장한다. 교감신경계가 강하면 안정제나 진정제를 쓰고, 부교감신경계가 강하면 항울제를 쓰는데, 항울제는 쉬운 말로 흥분제인 셈이다.

그러나 약물로 통제하는 것은 약물이 체내에서 작용하는 시간이 6~8시간 정도라서 지속적으로 약물을 투여해야 통제가 가능하고, 약물의 효능이 소멸되면 또 다시 약물을 투여해야 한다.

지금까지 정신의학에서는 욕구의 좌절을 가장 큰 정신장애의 원인으로 보고 있고, 수없이 반복해서 일어나는 욕구가 좌절되어 무의식에 잠재되어 있는 갈등을 제거하는 것을 치료의 목적으로 삼는다. 그리고 갈등을 제거하는 방법으로 정신분석을 이용해 왔다.

사람은 뇌(腦)세포가 약 130억 개라고 하며, 그 중 기억저장고(memory storage)sms 13조 개나 된다고 한다. 자아의식을 가질 때부터, 외부로부터 오는 모든 자극과 경험한 일을 기록 (recording)하기에 정신분석은 자유연상이나 꿈 분석(Freud), 최면 분석을 이용하여 기록된 내용을 분석함으로써 치료를 한다는 이론이 정신분석이다.

스트레스(stress)는 신체적·정신적으로 통합이 잘 이루어지지 않는다고 지각될 때, 이런 상태로부터 자신을 방어하려는 유기체적 상태이다. 최근에 와서 의학자들은 육체적·정신적 질병의 주된 원인이 스트레스라고 주장한다.

긴장을 하거나, 불안과 공포를 느낄 때나, 지나치게 불쾌하거나, 체면에 치명적 손상을 입었다고 생각할 때나, 즐겁고 흥분된 상태가 지속될 때 육체는 이런 상황에 맞게 적응하도록 활동하기 위해, 체내에서 여러 가지 물질을 생성하거나 발생시켜 몸을 보존하는 한편 필요한 힘과 에너지를 만들어 사용한다고 한다.

이러한 작용 때문에 스트레스가 질병을 유발할 수 있다고 하는 근거로 삼거나 질병의 원인이라는 것이다.

사람의 마음을 심리학자들은 세 분류로 나눈다. 의식을 관장하는 자아(Ego), 도덕적 판별을 담당하는 초자아(Super-Ego), 알 수 없는 본능(ID)으로 나누는데, 이 세 가지가 사람이 어떠한 기준을 가지고 행동하도록 조종한다는 것이다.

자아는 현실의 원리(reality principle)에 따라 행동할 수 있는가 없는가 하는 것과, 실현성 여부를 따져 허락하거나 금지하는 기준이 되고, 초자아는 도덕적 원리(morality principle)에 따라 행한 행동이 도덕적·법률적으로 위배가 되는지, 위배가 된다면 책임을 져야 할지 말아야 할지 판별하는 기준이 되어 양심을 통제하고, 본능은 쾌락의 원리(pleasure principle)에 따라 법률에 위배되건, 현실에 맞지 않건 상관하지 않고, 자신이 쾌락을 얻을 수 있다면 무조건 행동으로 옮기는 것을 권장하는 기준이 된다고 한다.

이러한 세 영역의 정신 에너지가 균형을 이루어야 행동과 과제를 능숙하게 풀어가면서 원만하게 생활할 수 있지만, 세 영역의 정신 에너지가 불균형이 생기면 갈등이 많아지고, 정신의 힘이 약화되어서 불안을 느끼거나 정신장애가 발생한다는 이론이 보편적이다.

트라우마 현상이 정신장애의 일종이라면 해결 방법은 무엇일까? 약물을 이용해도 좋겠지만, 약물의 복용은 효과가 일시적인데다 계속 복용해야 한다는 약점이 있다.

최면이 만사 해결책 같지만, 이것 또한 문제가 뒤따른다. 최면을 깊이 연구한 학자라면 유도(誘導) 단계에서 깊은 상태로 이끌어가 보면 사람에 따라 천차만별이기 때문에 보편적으로 이용하기에는 무리가 있고, 최면은 암시(suggestion)인데, 암시를 받아들이는 것도 각각 다르기 때문에 곤란한 점이 많으며, 전생까지 유도한다는 사기범들을 볼 때는 기가 찬다.

최면 유도로 과거를 퇴행시켜 보면 자아의식이 있을 때까지만 가능한 것이다.

정신장애를 과거에는 귀신(鬼神)이 덮여서 생긴 것으로 알고 무당이나 스님을 불러 굿을 하거나 제를 지냈지만, 정신장애는 이런 토속적 방법으로 귀신을 쫓아내서 치료할 수 있는 게 아니라 마음에서 발생하는 질병으로 판별이 되었다.

그렇다면 이러한 정신적 질병을 치료하는 묘안은 없을까? 세계적으로 유명한 정신의학자였던 이동식 교수님은 필자에게 "이군, 도(道)를 닦아야 하네."라고 선문답(禪問答)하듯이 말씀하셨는데 당시는 무슨 말씀인지 몰랐다. 연구를 하면서 이해해 보니 마음을 닦으라는 말씀이었다. 이것이 불교에서 주장하는 선(禪), 곧 좌선(坐禪)을 통한 정신일도(精神一到)로 무념무상(無念無想)의 경지에 드는 것이었다.

이것은 마음을 비우는 것이요, 욕심을 버리는 것이요, 이해(理解)를 앞세워 행동하는 것이요, 사람을 만나는 것이요, 더욱이 중요한 것은 자신의 생각을 긍정적 사고로 바꾸는 것이다. 정신이 통일되면 잡념도 없어져 집중력이 강해지고, 맑은 정신으로 일을 하면 성과도 기대 이상이며, 정신력이 강해져서 모든 일에 자신감이 솟아날 것이고, 확신과 희망으로 일상생활을 하게 되면 자연스럽게 정신적 고통은 사라지는 것이 아닐까 생각한다.

우울증(憂鬱症) 자가진단법

1.
① 나는 슬프지 않다.
② 나는 슬프다.
③ 나는 항상 슬프고 기운을 낼 수 없다.
④ 나는 너무 슬프고 불행해서 도저히 견딜 수 없다.

2.
① 나는 앞날에 대해서 별로 낙심하지 않는다.
② 나는 앞날에 대해서 용기가 나지 않는다.
③ 나는 앞날에 대해 기대할 것이 없다고 느낀다.
④ 나의 앞날은 절망적이고 가망이 없다고 느낀다.

3.
① 나는 실패자라고 느끼지 않는다.
② 나는 보통사람들보다 더 많이 실패한 것 같다.

③나의 과거를 뒤돌아보면, 실패투성이인 것 같다.
④나는 인간으로서 완전한 실패자라고 느낀다.

4.
①나는 전과 같이 일상생활에 만족하고 있다.
②나의 일상생활은 예전처럼 즐겁지 않다.
③나는 요즘 어떤 것에서도 만족을 얻지 못한다.
④나는 모든 것이 다 불만스럽고 싫증난다.

5.
①나는 특별히 죄책감을 느끼지 않는다.
②나는 죄책감을 느낄 때가 많다.
③나는 죄책감을 느낄 때가 아주 많다.
④나는 항상 죄책감에 시달리고 있다.

6.
①나는 벌을 받고 있다고 느끼지 않는다.
②나는 어쩌면 벌을 받을지 모른다는 느낌이 든다.
③나는 벌을 받을 것 같다.
④나는 지금 벌을 받고 있다고 느낀다.

7.
①나는 나 자신에게 실망하지 않는다.
②나는 나 자신에게 실망하고 있다.
③나는 나 자신에게 화가 난다.
④나는 나 자신을 증오한다.

8.
①내가 다른 사람보다 못한 것 같지는 않다.
②나는 나의 실수에 대해서 자신을 탓하는 편이다.
③내가 한 일이 잘못되었을 때는 나를 탓한다.
④일어나는 모든 나쁜 일들은 다 내 탓이다.

9.
①나는 자살 같은 것은 생각하지 않는다.
②나는 자살할 생각을 가끔 한다.
③자살하고 싶은 생각이 자주 든다.
④나는 기회만 있으면 자살하겠다.

10.
①나는 평소보다 더 울지는 않는다.
②나는 전보다 더 많이 운다.

③나는 요즈음 항상 운다.
④나는 요즈음은 울려야 울 기력조차 없다.

11.
①나는 평소보다 더 짜증을 내는 편은 아니다.
②나는 전보다 쉽게 짜증이 나고 귀찮아진다.
③나는 요즈음 항상 짜증을 내고 있다.
④요즘은 너무 지쳐서 짜증조차 나지 않는다.

12.
①나는 사람들에 대한 관심을 잃지 않고 있다.
②나는 전보다 사람들에 대한 관심이 줄었다.
③나는 사람들에 대한 관심이 거의 없어졌다.
④나는 사람들에 대한 관심이 완전히 없어졌다.

13.
①나는 평소처럼 결정을 잘 내린다.
②나는 결정을 미루는 때가 전보다 더 많다.
③나는 전에 비해 결정 내리는 것이 어렵다.
④나는 더 이상 아무 결정도 내릴 수가 없다.

14.
①나는 전보다 모습이 나빠졌다고 느끼지 않는다.
②나는 매력 없어 보일까봐 걱정한다.
③나는 매력 없게 변해버린 것 같은 느낌이 든다.
④나는 내가 추하게 보인다고 믿는다.

15.
①나는 전처럼 일을 할 수 있다.
②일을 시작하는 데에 전보다 더 많은 노력이 든다.
③무슨 일이든 하려면 심하게 채찍질해야만 한다.
④나는 전혀 아무 일도 할 수가 없다.

16.
①나는 평소처럼 잠을 잘 잔다.
②나는 이전만큼 잠을 자지는 못한다.
③전보다 한두 시간 일찍 깨고 다시 잠들기 어렵다.
④평소보다 몇 시간 일찍 깨고, 다시 잠들 수 없다.

17.
①나는 평소보다 더 피곤하지는 않다.
②나는 전보다 더 쉽게 피곤해진다.

③나는 무엇을 해도 피곤해진다.
④나는 너무나 피곤해서 아무 일도 할 수 없다.

18.
①내 식욕은 평소와 다름없다.
②나는 요즈음 전보다 식욕이 좋지 않다.
③나는 요즈음 식욕이 많이 떨어졌다.
④요즈음에는 전혀 식욕이 없다.

19.
①요즈음 체중이 별로 줄지 않았다.
②전보다 몸무게가 2kg가량 줄었다.
③전보다 몸무게가 5kg가량 줄었다.
④전보다 몸무게가 7kg 가량 줄었다.

20.
①건강에 대해 전보다 더 염려하고 있지는 않다.
②통증 등 신체적 문제로 걱정하고 있다.
③건강이 염려되어 다른 일은 생각하기 힘들다.
④건강이 염려되어 아무 일도 생각할 수 없다.

21.

①성(sex)에 대한 관심에 별다른 변화가 없다.

②전보다 성에 대한 관심이 줄었다.

③전보다 성에 대한 관심이 상당히 줄었다.

④나는 성에 대한 관심을 완전히 잃었다.

①)=0점, ②=1점, ③=2점, ④=3점으로 계산한다.

0~9점=우울하지 않은 상태

10~15점=가벼운 우울 상태

16~23점=중한 우울 상태

24~63점=심한 우울 상태

우울한 상태가 심하다면 망설이지 말고 임상 심리전문가를 찾아가셔서, 종합적인 심리진단검사를 받아본 다음, 그 결과를 가지고, 정신과 전문의와 상담하여 처리하는 것이 가장 현명한 일이고, 제대로 도움을 받는 정도의 길입니다.

ADHD(주의집중력 결핍증)

ADHD는 'Attention Defict Hyperactivity Disorder'란 말의 머리글자 조합으로 '주의집중력 결핍증'으로 번역하면 적절할 것이다. 이런 증상은 아동기에 주로 발생하는 정신과적 정신장애로 볼 수 있다.

이 증상의 원인은 학자에 따라 다르게 말하기도 하지만, 대체로 근본적인 원인을 신경·화학적 요인으로 보는 것이 정통적인 이론이다. 그러나 해부학적·유전적·환경적 요인의 상호작용 등 복잡한 특성을 보이기에 부모는 가끔 내 탓으로 우리 아이가 이런 증상을 앓는다고 애를 태우면서 이를 해결하기 위해 병원을 찾거나 해결할 방법을 백방으로 간구한다.

신경·화학적 요인이란 사람의 뇌에서 학습, 자아통제, 동기부여 등을 관장하는 RAS (reticular activiting system)이라는 부위에서 주의력을 관장하는 도파민(Dopamine)과 노르에피네프린(Norepinephrine)등의 신경전달 물질이 있는데, 이들의 부족으로 생기는 질병으로 볼 수 있다. 그렇기 때문에 유전적·환경적 요인

으로 발생한다기보다는 신경·화학적 요인으로 발생한다는 이론
이 지배적이다. 이 질병의 특징은 여러 가지가 있으나, 대부분
다음과 같은 현상을 보이는 것이 특징이다.

과잉행동(Hyperactivity)

과잉행동의 아동들은 자리를 이탈하고, 수족을 끊임없이 움직
이고, 신체 통제가 어렵도록 하는 행동이 가정, 학교, 어느 곳에
서나 나타난다. 그래서 이들은 분노, 좌절, 슬픔, 기쁨 등의 복합
적인 정서 반응이 정상을 넘어선 표현을 일으켜, 어린이의 모든
발달에 장애를 일으킨다.

주의력 결핍(Inattention)

학습이나 기술력을 배우기 위해 정신집중을 해야 하지만 주변
이나 친구들 말소리, 호기심을 끄는 자극에 민감하여 집중을 할
수 없고, 이를 지적하거나 체벌을 해도 잠시뿐이고, 산만하여 현
실적응을 할 수 없다.

아동의 선택적 주의집중력을 연구한 스로이어(Shroyer)와 젠탈
(Zentall, 1986)은 듣기나 과제내용 설명, 배경음악 등에서 이해가
떨어지고, 시험을 보더라도 문제를 끝까지 집중하여 읽지 못하

기 때문에, 틀리는 경우가 많아 점수가 낮다고 하였다.

충동성(Mania)

여러 가지 행동 가운데 어떤 행동을 해야 현 상황에 맞는 행동
이고 적절한지를 몰라서 충동성의 행동을 유발한다고 하였다.
규제를 무시하고, 욕구가 일어나면 참지 못하여 하고 싶은 행동
을 지체 없이 하기 때문에 자기 통제가 되지 않아 걷잡을 수 없
는 이상 과잉행동이 나타난다. 이런 충동성 여부를 알아내기 위
해서 MFFT(Matching Familiar Fidure Test) 검사를 하는데, 첫 반
응 소요시간이 지나치게 짧고, 오답 반응이 높으며, 차례나 줄서
기 등은 이행하지도 않는다.

공격성(Attack)

항상 놀이나 게임에서는 규칙을 무시하며, 파괴적인 언행이 또
래의 아이들에 비해 3배 이상 나타나며, 타인에게는 공손한 말
이 없고, 자신의 언행에 제제를 가하거나 방해하면 공격적 행동
이 즉각 나타나는 것이다. 이런 공격적 언행이 남녀노소 불문하
고 언제든지 나타내는 것이 특징이다.

대인관계의 어려움(Human relationship)

정상적인 아동들은 친구를 만들고, 우정을 유지하기 위해 많은 노력을 기울이고 지속적으로 친밀한 관계를 유지한다. 이런 노력은 사회성 형성에도 도움이 되고, 자신의 역할과 의무, 책임 등을 느끼면서 성장해 나가는 정상적인 방법이다.

그러나 ADHD로 진단을 받은 아동들은 같이 놀이를 하는 것, 또래와 어울리는 것, 대화를 나누는 것, 공동체의 일원으로 책임과 의무를 다하는 것을 제대로 수행하지 않기 때문에, 사회성 발달에 지대한 영향을 끼치고, 결함을 갖게 된다.

자주 싸움을 하여 미움을 받고, 게임이나 놀이를 방해하여 감정을 유발하고, 못살게 굴기 때문에 다른 아이들로부터 따돌림을 받아 왕따가 되어 버린다.

이러한 증상을 가진 아이들은 이러한 문제점 외에 행동, 사회, 인지, 학업, 정서, 신체 등에 문제를 가지고 있다. 행동은 경박하고 단순하며, 대인관계 곤란으로 인해 사회적 문제의 해결이 불가능하고, 인지능력을 발휘하지 못해 성적불량, 인식부족 현상을 일으켜, 정서적으로 불안, 공포, 초조, 억제불능의 표현과 행동이 노출되며, 신체상으로 미성숙한 면도 보인다.

호흡기 질환, 중추신경계 반응의 둔화와 함께 통증을 못 참고, 경련을 가끔 일으키고, 글쓰기, 가위질, 악기 연주 등에 어려움을 겪기도 한다. 이 증상이라고 해서 모두가 이상과 같은 행동을 나타내는 것은 아니지만, 대부분의 환자들은 언급한 여러 가지 증상 중 다수를 나타낸다고 보면 된다.

ADHD의 치료

이런 증상을 치료하는 방법은 학자들에 따라 다르지만, 대부분 가장 본질적인 방법을 약물 치료라고 말한다. 중추신경 자극제인 CNS stimulant라 불리는 것을 이용하는데 반응 정도는 70-80%로 나타난다고 한다. 집중 강화제로는 메칠페니데이트(Methylphenidate), 암페타민(D-Amphetamine), 페몰린(Pemoline) 등을 사용하는데, 어린이 환자 80% 이상이 효과를 본다고 한다.

그러나 모든 약에는 부작용이 따른다고 보아야 할 것이다. 이런 부작용으로는 불면, 반동효과, 식욕저하, 불쾌감과 우울, 어지러움, 민감성, 불안, 안절부절 등의 현상이 나타날 수도 있다는 점을 인지하고 약을 사용해야 한다.

이 약물 중에는 향정신성의약품으로 분류되어 엄하게 규제하는 일종의 마약 원료가 함유되어 있기에, 세심한 주의를 기울여 반드시 전문의의 철저한 검사와 진단을 받은 다음, 제대로 처방을 받아야 마땅한 약품인 것이다.

KBS 〈추적 60분〉에서 이 문제를 다루어 시청자들과 자녀가 장애를 가진 부모들의 경각심을 일깨운 방송을 한 일이 있다. 어떤 정신과 의사는 이 약을 공부 잘하는 약으로 선전하여 특목고 학생이나 성적을 올려야겠다는 학부모들에게 처방하고 돈을 벌려는 얌체 같은, 덜 된 의사도 있었고, 환자를 만나 진료도 하지 않고 부모들에게 처방전을 발행해 주었다는 사실도 도저히 이해할 수 없는 불법적인 일임에도 교육부나 보건복지부, 식품안전국도 사실 조사조차 하지 않고, 이런 사실이 있었는지도 모르고 있는 현실은 정말 통곡해야 할 사태라고 하겠다.

소아정신과 학회장 성동호 교수(연대 세브란스병원)는 치료제로 사용하기 위한 처방이냐, 치료 외의 다른 사용목적으로 처방된 것이냐를 엄격하게 따져야 한다고 하면서, 만약 다른 목적을 위해 처방을 하면 당연히 법으로 엄하게 다루어야 한다고 하였다.

미국에서는 이 약물을 정상적으로 처방받아 복용하였는데도, 부작용으로 한해 10명 이상이 사망하는 일이 일어나, 시민단체가 구성되어 문제를 제기하고 있는 실정이기에 우리나라에서도 이 약물을 치료 목적이 아닌, 공부 잘하는 약 등으로 처방되는 부작용을 막는 장치를 조속히 마련하고, 이를 어길 때는 엄한 법적 책임을 묻도록 하여야 한다.

또 습관성으로 향정신성의약품을 이용하는 젊은이들이 이 약을 복용한다니 심히 우려가 되고, 근간에는 마약사범들이 기하

급수적으로 늘어나서 가정에까지 침투하여 문제가 되고 있다는 이야기가 들리는 것을 볼 때, 당국은 이 약물로 문제가 되는 일이 없도록 만전을 기하는 민첩성을 보여야 할 때이고, 철저한 감시와 감독을 해야 할 것이다.

강박신경증(强迫神經症)

강박신경증(Obsessive-Compulsive Neurosis)은 불안과 연관이 깊으며, 환자 자신이 병적이라고 스스로 생각할 정도로 원하지 않는 생각이 꼬리를 물고 이어지거나 한 가지 생각에 고정되어 되풀이 생각하는 증상이나, 특정한 쓸데없는 행동을 반복하여 행하는 충동과 관련이 많다. 특히 강박신경증의 특징은 자각적인 강박감과 더불어 그에 대한 저항과 병식(病識)을 가지는 점이다.

이러한 증상에 대해 신경전달 물질을 원인으로 보는 학자들도 있어, 약물로 처방을 하지만, 근본적인 원인은 후천적 요소가 있다고 보는 것이 대세다.

그렇기에 가장 큰 후천적 요인으로는 자라온 환경이다. 부모의 강압적이고 억압적인 분위기에서 자랐거나, 너무나 깔끔하고 깨끗하게 정리정돈을 하는 분위기에서 자랐다거나, 정직하고 빈틈없는 일 처리를 강요받으면서 자란 아동들은 강박적 성격을 갖게 되어, 이런 증상으로 발전할 가능성이 크다.

강박신경증의 증상으로는 먼저 강박적 사고를 꼽을 수 있다. 한 가지 문제의 생각에 꽂혀 헤어나지 못하고 고착이 된다든지, 한 가지 생각에서 다른 생각으로 옮겨가면서 꼬리에 꼬리를 물고 계속하여 생각을 한다든지 하는 증상이다.

다른 한 가지는 강박적 행동의 반복이다. 쓸데없는 생각에 빠져 했던 행동을 되풀이하는데, 한 번이 아니라 5~6회 이상을 반복하는 것이 강박행동이다.

강박사고나 강박행동은 환자들의 마음을 사로잡기 때문에 견디기가 어렵다. 이런 생각의 내용들은 끔찍하고, 더럽고, 음담패설이나 신(神)을 모독하는 생각, 마음에 차지 않는다는 생각이 들어 견디지 못한다.

강박적 사고의 고착을 반추라고도 하는데, 이는 종교적인 것과 철학적 또는 형이상학적인 인간의 창조나 운명, 무한의 능력, 책상의 다리가 왜 3개가 아니고 4개냐 하는 등 필요하지 않거나 아무 것도 아닌 것에 얽매여 벗어나지 못하는 것이다.

그리고 되풀이하는 강박적 행동은 현실적으로 필요 없는 것인데도, 열 번 가까이까지 반복하여 행동하기 때문에 시간적 낭비와 노고가 뒤따르는 고역의 행동을 되풀이한다. 손을 한 번 씻으면 될 것을 5~6회 이상 씻으면서도 그것도 모자라 찬물과 뜨거운 물에 번갈아 가면서 씻는 행동을 반복하기도 한다.

이러한 강박적 사고나 강박적 행동이 되풀이되거나 고착화 현상을 보이는 것은 환자의 강한 의심증(疑心症, suspicion) 때문이다. 환자가 스스로 의심하여 고착이 되거나 행동이 반추되는 현상을 보이는 것이다.

한 번 책상의 서랍을 잠가 두고도, 잠시 후에는 잠겼는지 의심이 들어서 다시 확인하고, 또 그 안에 있던 중요한 물건이 그대로 있는지 확인하고 나서 자물쇠로 잠근다. 그 정도만으로도 될 터인데 이런 쓸데없는 행동을 5~6회 반복하는데, 이것이 의심에 의한 행동의 반복이다.

이런 강박신경증은 자라온 환경의 영향 때문이라고 할 수 있는데, 성장하면서 성격이 변하여 강박적 성격(obsessive personality)의 소유자가 되기 때문이고, 자기 성격대로 현실 적응을 고집하기 때문에 증상이 발생하는 것으로 볼 수 있다.

이런 성격은 까다롭고, 짜증을 잘 내며, 시간을 철저하게 지키고, 끈덕져서 일을 집요하게 하고, 정직하며, 완고하고, 양심적이며, 인색한 면도 강하고, 항상 일을 완벽하게 처리해야 한다는 집착을 갖고 있는 사람이다. 또 자라날 때 부모가 지나치게 대소변 훈련을 시키는 것이 원인이 되는 경우도 많다고 한다.

이러한 강박적 사고나 행동은 자기방어를 위한 행동(行動)이자 사고(思考)일 수도 있겠으나 생각과 행동은 모두 보편적이고 현실적일 때 현실 적응이나 대인관계에서 원만하다는 것은 두말할 나

위도 없다.

강박적인 사고와 행동이 약물 치료를 한다고 단 시일 내에 치료가 되거나 완전하게 없어지는 것은 아니다. 그렇기에 강박적 반추가 어떤 사실과의 차이에서 오는 알력에서 비롯된 것이든, 미숙한 집념에서 오는 것이라면, 문제의 토의와 재교육을 주로 하는 정신치료가 효과적일 수 있고, 다른 면으로는 성격을 변화시키는 일도 효과적일 수 있다.

이를테면 시간을 철저하게 지키는 것을 고집하는 것만이 현실 적응의 문제에서 만사를 해결하는 것이 아니라, 여유를 가지고 조금 늦거나 빨라도 스스로 납득하고 이해하는 마음을 갖도록 상담으로 풀어 나가는 것도 좋은 치료의 한 방법이다.

여유를 갖게 하는 넓은 사고와 마음을 가지고, 현실 적응을 하도록 천천히 유도하는 방법을 택하여 이끌고, 한 가지 고착되어 있는 사고나 일에 대해서는 그것만이 아니라 전혀 다른 것에 관심을 가지도록 유도하는 방법도 치료에 도움이 될 것이다.

강박신경증 환자들도 자신의 문제를 털어놓고 대화를 하고, 상담사와의 상담을 통해 통찰력을 키우면서 심리치료 받기를 원하는 사람들도 많다. 반복되는 행동이나 고착된 사고를 하지 않아도 마음의 불안을 없앨 수 있다는 점을 이해시키면서 되풀이되는 행동을 점진적으로 줄여 나가도록 하는 것이 곧 치료라 할 수 있다.

정신분열증(Schizophrenia)

　정신분열증은 조현병이라고도 한다. 정신분열증은 망상, 환청, 환각, 감각의 장애, 그리고 퇴행적 행동을 수반하는 현실로부터의 도피가 특징인 극심한 정신상태의 장애라 할 수 있다. 정신분열증만큼 흔하면서도 그 성질이나 원인이 잘 알려져 있지 않으며, 또 치료하기가 매우 어렵기도 하다. 초기 상태에 발견을 했다고 할지라도 오랜 기간에 걸쳐서 치료를 하여도 회복될 가능성이 적고, 중간 이상 만성상태에 접어들면 치료가 불가능한 상태가 되어 버리는 증상이라 할 수 있다.

　정신분열증에 대해 1860년 모렐(Morel)은 조기치매(早期癡呆)라는 말을 썼고, 1871년에 헤커(Heker)는 파과병(hebephrenia)이라는 악성 정신병으로 사춘기에 시작하여 급속히 성격이 황폐화된다고 하였다. 1874년 칼바움(Kahlbaum)은 무언부동(無言不動)의 정신병을 긴장증(catatonia)이라고 하였으며, 1899년 크래펠린(Kraepelin)은 망상형 정신증을 포함하여 조기치매로 이름 지었고, 1911년 블룰러(Bleuler)는 조기치매 대신에 현재 우리가 부르는 정신분열증이라고 하였다.

우리가 정신분열증이라는 이름으로 부르는 것은 그 과정이 때로는 만성적이고, 때로는 간헐적인 발작이 오며, 이런 증상이 어느 시기에서든 중단되거나 후퇴될 수도 있지만, 완전한 원상회복은 불가능한 정신장애의 집단을 의미하는 말이기도 하다.

정신분열증의 영어 표기를 Schizophrenia라고 하는데, 이 말은 그리스어 schizin과 phren의 합성어로서 schizin은 '나눈다, 분산된다, 쪼개지다'라는 의미이고, phren은 정신 또는 마음이라는 의미다.

정신의학에서 이런 정신장애를 두고 정신분열증이라고 진단하는 경우는 4A가 한꺼번에 나타날 때이다.

그 A는 첫째가 Association으로 대인관계의 장애가 발생하여 사람을 피하고 사람들과 어울리지 못하며, 친밀한 인간관계 유지가 어렵게 되어, 항상 홀로 지내는 생활이 주를 이룬다. 둘째로 Affection 증상이 나타나는데, 이는 감정이나 정서적 장애가 발생하여 현실 환경 적응 때 감정이나 정서적인 표현 또는 행동이 적절하지 못하고 극과 극으로 표현하거나 행동을 하는 특성을 보이는 것이다. 셋째는 Austic Thinking으로 사고의 장애가 발생하여서 합리적 사고나 논리적 사고, 또는 현실적 사고를 하지 못하고 항상 망상과 공상에 빠지며, 이를 현실로 착각하여 행동하고 말하는 특징이 나타나는 것이다. 마지막은 Ambivalence로 적대감정의 양립 현상을 보이는 행동과 말을 하고 그 상태가 생활화되어 버리는 것이다.

이런 4가지의 특징, 4A가 한꺼번에 나타날 때 정신분열증이라고 진단하는 것이다. 이런 진단을 위해서는 반드시 임상 심리전문가의 종합심리진단검사를 거쳐 분석한 결과를 토대로 정신과 전문의가 정밀진단을 해야 한다.

중증의 정신분열증에 대한 발병 원인은 아직까지 명확하게 밝혀진 바가 없는 것이 사실이다. 기능적인 원인에 대한 설(說)로는 성격장애나 신경증(노이로제)을 치료하지 않고 방치함으로써 심화되어 발생한다는 주장이 주를 이루고 있고, 이것이 환경적 요인에 해당한다고 할 수 있는 것이다. 다음으로 기질적 요인이 원인이라는 이론도 있다. 이것은 유전적인 영향에 의하여 발생한다는 이론이지만, 그리 인정을 받는 편은 아니다. 명확한 발병의 원인이 애매모호하기에 그만큼이나 치료가 어렵다는 것이다.

이런 정신분열증에도 여러 가지의 종류가 있다. 파과형(hebephrenic type), 단순형(simple type), 긴장형(catatonic type), 망상형(paranoid type), 분열성 긴장형(schizo-affective type), 어린이형(childhood type), 잔재형(residual type), 유의신경증적형(pseudoneurotic schizophrenia) 등으로 구분하지만 최근에 와서는

증가된 증상도 있다.

정신분열증의 치료와 예방

이런 정신분열증을 치료하기 위해서는 냉정하게 판단해서 치료 계획을 세워야 한다. 원칙적으로 정신과 입원은 필수적이고, 입원하여 치료를 할 때도 정신치료와 겸하여 약물치료도 하고, 충격요법도 사용한다.

약물로는 주로 chlorpromazine을 사용하는데, 이런 약은 약효가 체내에 남아 있는 시간이 7~8시간이므로, 그 시간이 지나면 다시 약을 복용해야 하기 때문에 약물치료는 일시적인 효과라고 할 수 있으며, 근본적인 치료는 어렵다고 할 수 있다.

충격요법에는 전기 충격요법과 약물 충격요법의 두 가지가 있는데, 이런 방법을 자주 사용하지는 않지만, 우울증이 심한 환자에게는 흔히 사용하는 치료법이기도 하다. 그러나 무엇보다도 명심해야 할 일은 정신분열증이 심화되기 전에 치료를 하여서 이런 상태에 빠지지 않도록 하는 것이 중요하다고 하겠다.

이런 무서운 정신분열증에 빠지지 않기 위해서는 예방이 중요한데, 이것이 바로 정신위생이라고 하겠다. 정신위생에도 소극적 정신위생과 적극적 정신위생이 있다. 소극적 정신위생은 정신장애가 걸리고 나서 치료를 하는 경우인데, 치료는 아무리 적극적으로 하더라도 소극적 정신위생이라고 할 수밖에 없을 것이다. 반대로 적극적 정신위생은 그야말로 예방 차원의 정신위생이라고 하겠다. 정신장애에 걸리지 않기 위해 건강한 정신 상태를 유지하도록 적절한 현실적 욕구 수준을 가지면서, 스트레스를 잘 풀어주고, 안정된 마음상태를 유지하기 위해 노력하는 일이 적극적인 정신위생이라는 것을 명심해야 할 것이다.

정신장애자 환자들의 인권문제

　정신장애는 정신병 전체를 통 털어 말할 때 자주 쓰는 말이다. 성격장애와 신경증, 그리고 정신분열증을 합하여 말할 때 묶어서 표현하는 말이기도 하다.

　인간의 건강에는 두 종류가 있는데, 육체의 건강과 정신적 건강이다. 정신장애는 정신건강에 필요한 정신위생을 철저히 하지 못하여 발생하는 것으로, 육체의 건강보다 더 중요하다. 어릴 적부터 정서적 불안 요인을 겪지 않도록 배려하는 환경을 만들어 주어야 하고, 현실적응에서 항상 자신의 위치와 격에 맞는 현실적 욕구를 갖도록 하여, 과도한 욕구 좌절을 피하도록 하면서 정신건강에 힘을 써야 정신장애를 예방을 할 수 있고, 건강한 정신으로 생활해 나갈 수 있는 법이다.

　그러나 부모나 자신이나 스스로 신경을 쓰지 않거나, 무관심하게 대응하는 바람에 정신장애의 증상이 심화되면 육체가 건강하더라도 아무 일도 하지 못하며, 자기만의 기술이나 지식을 아무리 많이 가지고 있더라도 사용할 수가 없다.

직장이나 적성에 맞는 일도 할 수가 없고, 사람으로서의 자신에게 맡겨진 일도 제대로 처리할 수 없으므로 살아있는 사람으로여길 수 없는 처지가 되고 만다.

복잡화된 현대사회에서는 수많은 스트레스와 좌절을 겪게 되기 때문에 자신이나 가족, 주변 사람들의 정신이 건강한지 항상관심을 가지고 체크해 보아야 한다. 조금이라도 이상이 있다고판단되면 임상 심리전문가에게 가서 종합적인 심리진단검사를받아 보도록 하는 것이 가장 현명한 방법이며, 검사결과를 바탕으로 문제가 있을 경우 정신과 의사에게 치료를 받든지, 임상 심리전문가에게 심리 치료를 받아야 건강한 정신 상태를 되찾을 수있고, 활발하고 적극적인 사회 활동을 할 수 있다.

지금 한국에는 정신장애로 병원에 입원하여 치료를 받고 있는환자도 많지만 정신요양원에 수용된 채 인권의 사각지대에서 인간 대접을 받지 못하며 수감생활이나 다름없는 생활을 하는 사람들이 너무도 많다. 사립 정신요양원이나 기도원 같은 열악한 시설에서도 손과 발이 쇠사슬에 묶인 채 짐승같이 인권을 유린당하는 환자들이 부지기수인 것으로 알고 있다. 보호자들이 전화를하면 멀쩡한 사람을 끌고 가서 정신과 의원이나 병원, 요양소, 기도원에 강제로 입원시키는 일이 지금도 비일비재하다.

그런데도 정부마저 손을 놓고 있다. 재산을 **빼앗**으려고, 또 이

혼하기 위해서 전화 한 통에 멀쩡한 사람들을 아무도 모르게 잡아가서 가두거나 입원을 시켜도 위법이 아니라니, 법치국가에서 어떻게 이런 일이 버젓하게 일어날 수 있단 말인가. 지금도 이런 일이 민주국가 대한민국에서 비일비재하게 일어나 사회 문제가 되고 있다는 방송 보도도 있었건만, 아무도 이들의 인권 유린을 바로잡기 위해 힘을 쓰는 사람은 없는 실정이다.

국회의원도 이런 점을 잘 이해하여 현실에 맞는 정신장애보호법을 입법화하여야 할 것이고, 생사람을 잡아가두어 정신병자로 만드는 행위를 엄하게 처벌하는 법의 집행이 뒤따라야 이들의 인권을 다소라도 보호할 수 있을 것이 아닌가?

근간의 일이지만 상주의 어떤 여인이 재산 문제로 남동생들과 짜고 현직 공무원으로 근무하는 멀쩡한 형을 정신과에 강제로 입원시키고 약물로 환자를 만들어서, 입원하고 있는 분을 보호하기 위해 경찰이 조사할 것이 있다는 이유로 빼내온 일이 있었는데, 이런 일을 보고 겪으면서 비양심적 행위에 환멸을 느껴야 했다.

사설 정신요양소나 기도원 등에서 이러한 못된 짓을 하는 것은 국립 정신요양원이 태부족인 현실 때문이기도 하겠지만, 사설 무인가 정신요양소나 기도원 등에서 돈을 벌기 위한 수단으로 이런 맹점을 이용하기 때문에 더욱 기승을 부린다고 볼 수 있다.

보호자나 부모들도 만성 정신분열증 환자들을 집에 두자니, 가족을 못살게 굴면서 폭행이나 구타를 밥 먹듯이 하는 바람에 귀찮아서 사설 요양원이나 정신병원에 입원시킨 다음 몇 달 동안은 매월 지불하는 비용을 꼬박꼬박 내다가, 좀 지나면 밑 빠진 독에 물 붓듯 들어가는 돈을 감당하지 못하여, 이사를 하거나 거주지를 없애버릴 경우, 환자는 입원한 곳에서 미움을 받아 독방에 갇히고, 손발에 체인까지 채워지는 것으로 알고 있다.

요양소나 기도원을 운영하는 사람들은 정부로부터 한 사람당 수십만 원의 보조비를 받고도 대부분의 돈을 부정축재하고, 시래기 국에다 잡곡밥을 주면서 말을 듣지 않는다고 폭행까지 일삼는다니 이런 불법행위를 당하는 것은 본인만 알지 어느 누가 알기나 하겠는가?

정신장애 환자들이 이런 억울하고 부당한 일을 당하지 않도록, 경찰이 요양소나 병원에 상근하도록 법을 만들고 시행하여야 할 것이다. 그리고 재물 때문이든 이혼 등 다른 이유로든 어떠한 경우에도 멀쩡한 사람을 강제로 입원시키거나 구금할 때는 병원이든 요양원이든 어디라고 할 것 없이 엄격하게 처벌하도록 해야 할 것이다. 이렇게라도 해야 이들이 다소라도 보호를 받을 수 있을 듯하다.

멀쩡한 사람을 강제로 입원시키는 일이 발생하면, 본인의 의사를 최우선적으로 확인하여 다른 곳에서 임상 심리전문가에게 정신감정을 받아, 정상으로 판정이 될 때는 바로 퇴원을 시키도록 하며, 강제입원을 시킨 의사는 영구적으로 면허를 취소하고, 병원이나 요양원 역시 폐쇄와 더불어 인원환자에게 수억의 배상을 하도록 하면 이러한 처벌을 감수하면서까지 정신장애자들의 인권을 유린하지는 않을 테고, 이런 범법을 저지르는 의사나 운영자도 없어질 것이다.

아울러 정신과 병의원에는 항상 임상 심리전문가들이 있어서, 이들이 정신감정 종합심리검사를 하고 분석을 하여, 결과를 진료의사에게 소견서로 제출하면 약물이나 진단 판정을 하고, 처방하여 환자를 치료하도록 해야 한다. 일반 병원에서도 임상병리사가 환자의 병을 판별하기 위해 여러 가지 임상검사를 하여 그 결과를 토대로 진료와 약물 처방을 하는 것과 마찬가지의 절차라고 하겠다.

정신과 의사 한 사람 당 임상 심리전문가 한 사람이 있어야 병의원을 개설할 수 있도록 법적 뒷받침이 된다면 정신장애를 판정하고 입원이 필요한지 어떤지 확실하게 알 수 있고, 멀쩡한 사람을 입원시키는 일과 같은 불법행위는 당연히 근절될 수 있다.

그러나 한국의 정신과 의사들은 한국심리학회에서 임상심리전문가법을 만들려고 초안을 잡고 제정할 법을 만들어 국회에 입법제청을 하려고 하자 제청하지 못하도록 방해를 하여 1970년대

이래 아직까지 임상심리전문가법이 제정되지 못했다. 물론 미국이나 일본 등 선진국에서는 이미 수십 년 전에 임상심리전문가법을 만들어 실행하고 있다.

정신장애 중증의 환자들은 정신과 의원이나 병원에 가서 진료를 받거나 치료를 하고, 경미한 환자인 성격장애나 노이로제 환자들은 임상심리전문가가 심리치료를 하여 치료나 상담을 하도록 업무의 명확한 구분이 이루어진다면 좋은 효과를 얻을 수 있다고 본다. 임상심리전문가법의 제정도 시급하고, 정신장애자보호법도 빠른 시일 내에 제정되는 것이 정신건강을 위한 최소한의 안전판이 될 것이다.

"재물을 잃는 것은 조금 잃는 것이요, 명예를 잃는 것은 많이 잃는 것이지만, 정신건강을 잃는 것은 몽땅 잃어버리는 것이다." 라는 경구(驚句)를 되새기는 일이 헛되지 않기를 소망한다.

이런 바람은 비단 정신장애를 앓고 있는 환자들을 위한 일만은 아니다. 정신건강을 위한 최소한의 안전판이 필요하다는 사실에 대해 지금 당장 국민의식을 일깨우지 않으면 언제나 '소 잃고 외양간 고치는 격'이 되기 일쑤라는 것을 다시 한 번 이야기하고 싶다.